OS CAÇADORES DE DEUS

TOMMY TENNEY

OS CAÇADORES DE DEUS

EM BUSCA DO AMADO DA SUA ALMA

2ª. Edição

BELO HORIZONTE

Diretor
Lester Bello

Autor
Tommy Tenney

Título Original
God Chasers, Pursuing the Lover of Your Soul

Tradução
Idiomas & Cia, por Maria Lucia Godde Cortez

Revisão
Idiomas & Cia, por Glaucia Victer e Ana Carla Lacerda

Design capa (Adaptação)
Fernando Rezende

Diagramação
Julio Fado

Impressão e Acabamento
Promove Artes Gráficas

Rua Major Delfino de Paula, 1212
São Francisco, CEP 31.255-170
Belo Horizonte/MG - Brasil
contato@belloeditora.com
www.belloeditora.com

© 2009 Tommy Tenney Copyright
desta edição Destiny Image
Publishers, Inc.

Todos os direitos autorais
desta obra estão reservados
1ª. Edição Julho de 2009
2ª. Edição Setembro de 2013
7ª. Reimpressão Novembro de 2016

T299	Tenney, Tommy Os caçadores de Deus: em busca do amado da sua alma / Tommy Tenney; tradução de Idiomas e Cia. – Belo Horizonte: Bello Publicações, 2016. 160p. Título original: The God Chasers - pursuing the lover of your soul. ISBN: 978-85-83210-05-4 1. Vida cristã. 2. Fé em Deus. I. Título. CDD: 212.1 CDU: 231.11

Todos os direitos reservados. Proibida reprodução, armazenamento ou transmissão de qualquer forma ou por qualquer meio – eletrônico, mecânico, fotocópia, gravação ou outro – sem a autorização prévia por escrito da editora.

Exceto em caso de identificação em contrário, as citações bíblicas foram extraídas da Versão Almeida Revista e Corrigida Fiel, SBTB, 2004. As citações bíblicas marcadas NVI foram extraídas da Nova Versão Internacional, Vida, 1998. As citações bíblicas marcadas NRSV e NAS foram extraídas da New Revised Standard Version e da New American Standard, respectivamente, e foram traduzidas livremente em função da inexistência de versão correspondente em português. *As ênfases que aparecem em algumas transcrições das Escrituras foram inseridas pelo próprio autor.*

Índice

Parte Um   7
Os Caçadores de Deus –
Em Busca do Amado da Sua Alma

PARTE UM

Os Caçadores de Deus

Índice

Introdução	Sempre Existiram Caçadores de Deus	11
Capítulo 1	O Dia em que Quase O Capturei	15
	Correndo insistentemente atrás de Deus – Sl 63:8	
Capítulo 2	Não Há Pão na "Casa do Pão"	31
	Migalhas no tapete e prateleiras vazias	
Capítulo 3	Sei que Existe Mais	49
	Redescobrindo a presença manifesta de Deus	
Capítulo 4	Somente os Mortos Podem Ver a Sua Face	65
	O caminho secreto para a presença de Deus	
Capítulo 5	Vamos Fugir ou Entrar?	81
	A oportunidade de encontrar Aquele que você sempre soube que estava ali	
Capítulo 6	Como Lidar com o Sagrado	95
	Passando da unção à glória	
Capítulo 7	Ele Fez Isso Antes; Ele Pode Fazer Outra Vez	111
	Envie a chuva, Senhor!	
Capítulo 8	O Propósito da Sua Presença	121
	Zonas de radiação divina – o evangelismo da presença	
Capítulo 9	Aniquile a sua Glória	131
	A morte da glória do homem é o nascimento da glória de Deus	
Capítulo 10	Moisés e sua Busca de 1500 Anos pela Glória de Deus	147
	Você não pode buscar a face Dele e salvar a sua "face"	

Introdução

Sempre Existiram Caçadores de Deus

Desde que Deus é Deus, existem pessoas que O buscam desesperadamente. A História está cheia de relatos que mostram isso. O meu é apenas um deles. Histórias desse tipo podem ser lidas como mapas para o Santo dos Santos, ou para locais de acesso à esfera celestial.

Os caçadores de Deus transcendem o tempo e a cultura. Eles têm todo tipo de histórico que se possa imaginar. E são provenientes de todas as épocas... Desde Abraão, o criador de gado itinerante, passando por Moisés, o gago adotado, até Davi, o jovem pastor. À medida que a marcha do tempo prossegue, os nomes continuam a surgir: Madame Jeanne Guyon, Evan Roberts, William Seymour, da famosa Rua Azuza – até chegarmos aos nossos dias. Na verdade, somente a História pode nos dizer os nomes dos caçadores de Deus, mas eles estão lá. Você é um deles? Deus está apenas esperando para ser capturado por alguém cuja fome esteja além de sua própria compreensão.

Os caçadores de Deus têm muito em comum. Primeiramente, eles não estão interessados em ficar estacionados em alguma verdade empoeirada que todos já conhecem. Eles vão em busca da presença fresca do Todo-Poderoso. Essa busca costuma deixar muitos de nossos irmãos em Cristo com as sobrancelhas levantadas, mas é o que faz a igreja sair dos lugares áridos para a presença do seu Amado. Se você é um caçador de Deus, não ficará feliz em simplesmente seguir as pegadas de Deus. *Você as seguirá até que possa capturar a Sua presença.*

A diferença entre a verdade de Deus e a Sua revelação é muito simples. A verdade é onde Deus *esteve*. A revelação é onde Deus *está*. A verdade são as pegadas de Deus. É o Seu rastro, Sua trilha, mas aonde elas levam? Até Ele. Talvez as multidões fiquem felizes em saber onde Deus esteve, mas os verdadeiros caçadores de Deus não se sentem satisfeitos em apenas estudar os vestígios de Deus e Suas verdades; eles querem *conhecê-lO*. Querem saber onde Ele está e o que vai fazer agora mesmo.

Lamentavelmente, a maior parte da Igreja de hoje é como um famoso detetive que segura sua lente de aumento para estudar o local onde Deus esteve. Claro que um caçador pode descobrir muito estudando as pegadas de um animal; pode determinar em que direção está indo, há quanto tempo passou por ali, quanto pesa, se é macho ou fêmea, e daí por diante. A Igreja de nossos dias gasta horas incontáveis e muita energia analisando onde Deus esteve e como operou poderosamente quando esteve ali. Mas para os verdadeiros caçadores de Deus, todas essas coisas são irrelevantes. Eles querem correr urgentemente sobre este rastro de verdade até chegarem ao ponto da revelação, onde Ele atualmente *está*.

Um caçador de Deus pode ficar entusiasmado com alguma verdade empoeirada e até mesmo emocionado ao determinar o valor do *kabod*, da glória que esteve em algum lugar no passado, e há quanto tempo foi isso. Mas esse é justamente o problema. Há quanto tempo foi? Um verdadeiro caçador de Deus não se satisfaz apenas com a verdade do passado; ele precisa ter a verdade do *presente*. Caçadores de Deus não querem somente estudar as páginas mofadas do que Deus fez; eles estão ansiosos para ver o que Deus está fazendo.

Há uma enorme diferença entre a verdade de hoje e a verdade de ontem.[1] Temo que a maior parte do que a Igreja estudou seja verdade passada, e muito pouco do que sabemos seja verdade presente.

Se você quer reconhecer um verdadeiro caçador de Deus, pense num cão de caça tremendo de entusiasmo para agarrar sua presa. Simplesmente dê aos caçadores de Deus a suspeita de que Ele está por perto e veja o que acontece. Como a Bíblia diz, o cheiro das águas faz com que muitas coisas aconteçam.[2] Como cães que seguem um rastro, eles ficarão tremendamente empolgados quando alcançarem a sua presa. Neste caso, a presa é a presença de Deus.

Tudo o que posso dizer é que sou um caçador de Deus, assim como muitos daqueles que tiveram encontros com o Senhor. Por que você não se junta a nós nessa caçada por Deus? O que mais queremos é estar com Ele.

Notas Finais

1. Ver 2 Pedro 1:12.
2. Ver Jó 14:9.

Capítulo 1

O Dia em que Quase O Capturei

Correndo insistentemente atrás de Deus – *Sl 63:8*

Achamos que sabemos onde Deus mora. Achamos que sabemos o que lhE agrada, e temos *certeza* que sabemos o que não lhE não agrada.

Temos estudado tanto a Palavra de Deus e as Suas antigas cartas de amor às igrejas que alguns de nós afirmam saber *tudo* sobre Deus. Mas agora, pessoas como você e eu em todo o mundo estão começando a ouvir uma voz persistente e penetrante repetindo no silêncio da noite:

Não estou perguntando o quanto você *sabe a Meu respeito*.

Quero perguntar-lhe: 'Você realmente Me *conhece*?

Você realmente Me *deseja*?'

Eu pensava que sim. Costumava pensar que havia atingido uma boa medida de sucesso no ministério. Afinal, havia pregado em algumas das maiores igrejas da América; estava envolvido em projetos evangelísticos internacionais com grandes homens de Deus, viajei à Rússia diversas vezes e ajudei a implantar muitas igrejas ali. Eu havia feito muitas coisas *para* Deus... porque achava que era aquilo que devia fazer.

Mas numa certa manhã de domingo, no outono, aconteceu algo que mudou tudo e questionou todas as minhas realizações, títulos e ministério. Um amigo meu de longa data que era pastor em Houston, Texas, pediu que eu ministrasse em sua igreja. De algum modo, senti que o destino esperava por mim. Antes de receber o convite dele, já havia nascido em meu coração uma fome que simplesmente não queria me abandonar. O vazio que me consumia – apesar de todas as minhas realizações – piorava cada vez mais. Sentia um pavor frustrante, uma depressão que parecia anunciar um acontecimento. Quando ele me ligou, simplesmente percebi que algo da parte de Deus esperava por nós. Mal sabíamos que estávamos prestes a ter um encontro com Deus.

Faço parte da quarta geração de uma família de cristãos cheios do Espírito e profundamente dedicados ao ministério; mas devo ser sincero com você: eu estava cansado da igreja. Sentia-me como a maioria das pessoas que tentamos atrair para participar dos nossos cultos todas as semanas. Elas não querem vir porque também estão cansadas da igreja. E embora a maioria das pessoas que se dirigem aos nossos templos e circulam pelos corredores de nossas igrejas possam estar igualmente cansadas, elas também estão com *fome de Deus*.

"Um Tanto Inferior ao que foi Anunciado"

Você não pode negar que quando as pessoas usam cristais em volta do pescoço, pagam centenas de dólares por dia para ouvirem gurus e consultam paranormais que cobram bilhões de dólares estão demonstrando uma tremenda fome de Deus. Elas têm fome de ouvir sobre algo que está além delas mesmas, algo que não estão ouvindo na Igreja atual. A verdade é que as pessoas estão cansadas da *igreja* porque a *Igreja* tem se mostrado um tanto inferior ao que à Bíblia anunciou! *As pessoas querem se conectar com um poder maior!* Essa fome leva-as a diferentes lugares, menos à Igreja. Tudo que procuram é alimentar, com as coisas deste mundo, a fome que consome suas almas.

Ironicamente, apesar de ser pastor eu estava sofrendo da mesma fome que as pessoas que nunca tiveram um encontro com Jesus! Não estava mais contente em apenas saber *a respeito* de Jesus. Você pode saber tudo sobre presidentes, reis e celebridades; pode conhecer seus hábitos alimentares, saber onde moram e seu estado civil. Mas conhecer a respeito deles não significa ter intimidade com eles. Não significa que você os *conhece*. Nesta era da informação, onde as fofocas passam de boca em boca, de papel para papel, e de pessoa para pessoa, é possível falar de alguém sem conhecê-lo pessoalmente. Se você ouvisse duas pessoas conversando sobre a última tragédia vivida por alguma celebridade, ou sobre sua mais recente conquista, imaginaria que conhecem a pessoa de quem estão falando, quando na verdade tudo o que sabem são fatos!

Durante muito tempo, a Igreja tem conhecido apenas fatos sobre Deus. Falamos sobre técnicas, mas não falamos com Ele. Esta é a diferença entre conhecer alguém e saber sobre ele. Posso conhecer muitos fatos sobre presidentes, reis e celebridades, mas na verdade não os *conheço*. Se alguma vez os encontrasse pessoalmente precisaríamos ser apresentados, porque o simples conhecimento sobre uma pessoa não se iguala a uma amizade íntima.

Não é suficiente saber a respeito de Deus. Nossas igrejas estão cheias de pessoas que podem vencer concursos bíblicos minuciosos, mas que não O *conhecem*. Receio que alguns de nós tenhamos sido envolvidos e embaraçados por muitas coisas, da prosperidade à pobreza. Temo que nossa sociedade esteja tão impregnada de justiça própria que os *nossos* desejos e os do *Espírito Santo* passaram a ser diferentes.

Se não tomarmos cuidado, poderemos nos tornar tão interessados em desenvolver o "culto ao conforto" – com o nosso pastor confortável, a nossa igreja confortável e o nosso círculo confortável de amigos – que nos esqueceremos dos milhares de descontentes, feridos e moribundos que passam na frente da nossa igreja confortável todos os dias! Não consigo deixar de pensar que se falharmos em ao menos *tentar* alcançá-los com o Evangelho de Jesus Cristo, então *Ele certamente desperdiçou muito sangue no Calvário*. Ora, *isso me* deixa desconfortável. Tinha de haver mais! Eu estava desesperado para ter um encontro com Deus (um encontro íntimo).

Voltei para casa depois de pregar na igreja de meu amigo no Texas. Na quarta-feira seguinte, quando estava de pé na cozinha, ele telefonou novamente: "Tommy, somos amigos há anos. Não sei se alguma vez pedi a alguém para pregar em dois domingos seguidos, mas... você voltaria no próximo domingo?" Concordei. Sabíamos que *Deus estava tramando algo*. Será que o caçador agora estava sendo caçado? Estávamos a ponto de ser capturados por aquilo que nós mesmos estávamos caçando?[1]

Aquele segundo domingo foi ainda mais intenso. Ninguém queria deixar o prédio depois do culto de domingo à noite.

"O que devemos fazer?", meu amigo pastor perguntou.

"Devemos fazer uma reunião de oração na segunda-feira à noite", disse eu, "sem qualquer outra programação. Vamos avaliar a fome das pessoas e ver o que está acontecendo". Quatrocentas pessoas apareceram naquela segunda-feira, e tudo o que fizemos foi buscar a face de Deus. Definitivamente, algo estava acontecendo. Uma rachadura minúscula começava a aparecer nos céus de bronze sobre a cidade de Houston. A fome coletiva estava clamando por uma visitação coletiva.

Voltei para casa e, lá pela quarta-feira, o pastor estava ao telefone novamente. "Tommy, você poderia voltar novamente nesse domingo?" Ouvi suas palavras e escutei seu coração. Ele não estava realmente interessado em que "eu" voltasse. O que queríamos era Deus. Meu amigo é um caçador de Deus como eu, e ambos estávamos numa busca acirrada. Sua igreja havia inflamado uma fome que já ardia dentro de mim. Eles também haviam estado se preparando para aquela busca. Havia uma sensação de que estávamos perto de "capturá-lO".

Esta é uma expressão interessante, não? *Capturá-lO*. Na verdade, é algo impossível. Não podemos capturá-lO, assim como o Oriente não pode capturar o Ocidente; eles estão distantes demais um do outro. É como brincar de pega-pega com minha filha. Geralmente, quando ela chega em casa depois de um dia na escola, brincamos do mesmo modo que inúmeros pais e filhos em todo o mundo. Quando ela tenta me pegar, mesmo com meu corpo pesado e sem jeito, não preciso correr para escapar. Eu apenas desvio espertamente para lá e para cá, e ela não consegue sequer me tocar, afinal, uma criança de seis anos não consegue pegar um adulto. Mas fugir na verdade não é o propósito da brincadeira, porque depois de alguns minutos brincando, ela diz rindo: "Ah, papai...", e é nesse momento que ela captura meu coração. Então me viro e já não é ela que corre atrás de mim, mas eu é que estou correndo atrás dela; eu a alcanço e caímos na grama em meio a abraços e beijos. O caçador passa a ser caçado.

E então, podemos capturá-lO? Na verdade não, mas podemos capturar o Seu coração, assim como fez Davi. E se capturamos o Seu

Em Busca do Amado da Sua Alma

coração, então Ele se volta e vem atrás de nós. Esta é a beleza de ser um caçador de Deus. Você está caçando o impossível sabendo que é possível.

Aquela igreja em Houston tinha dois cultos aos domingos. O primeiro culto da manhã começava às 8h30, e o segundo vinha em seguida, às 11h. Quando voltei lá para o terceiro fim de semana, ainda estava no hotel quando senti uma forte unção, um toque do Espírito, e então comecei a chorar e tremer.

Mal Podíamos Respirar

No dia seguinte, entramos no prédio para o culto das 8h30 de domingo, esperando ver o povo "sonolento" que normalmente comparece à primeira reunião da manhã com sua adoração contida. Quando entrei para me sentar na primeira fila, a presença de Deus já estava ali de uma maneira tão forte que o ar estava "denso". Mal podíamos respirar.

Os músicos estavam claramente lutando para continuar ministrando. As lágrimas jorravam e ficava cada vez mais difícil tocar. Finalmente, a presença de Deus pairou de uma forma tão forte que eles não conseguiam mais cantar ou tocar. O líder de louvor rompeu em soluços atrás do teclado.

Se alguma vez na vida tomei uma boa decisão, foi naquele dia. Eu nunca havia estado tão perto de "capturar" Deus, e eu não ia parar. Então disse à minha esposa Jeannie: "Você deve continuar a nos conduzir até Ele". Jeannie tem uma unção para conduzir pessoas à presença de Deus como adoradora e intercessora. Ela silenciosamente dirigiu-se à frente e deu continuidade à adoração e ministração ao Senhor. Não foi nada sofisticado, mas algo simples. Aquela era a única atitude apropriada naquele instante.

A atmosfera me lembrava a passagem de Isaías 6, que eu havia lido e que até havia ousado sonhar experimentar pessoalmente. Esse trecho da Bíblia diz que a glória do Senhor encheu o templo. Eu nunca entendi o que significava a glória do Senhor encher um lugar. Já havia sentido a presença de Deus entrar em alguns lugares, já senti Sua aproximação, mas naquela vez em Houston, mesmo depois de achar que Deus já estava ali, totalmente disponível, mais da Sua presença literalmente superlotou aquele recinto. Foi como a cauda de um vestido de noiva que, mesmo depois que a noiva entrou na igreja, continua entrando no templo depois dela. Deus estava ali; não havia dúvidas quanto a isso. E mais da Sua presença continuava entrando naquele lugar até que, como em Isaías, literalmente encheu o ambiente. Às vezes o ar ficava tão rarefeito que se tornava quase irrespirável. Parecia que o oxigênio entrava em pequenas porções. Soluços abafados irrompiam pela sala. Em meio a tudo isso, o pastor virou-se para mim e fez uma pergunta:

"Tommy, você está pronto para assumir o púlpito?"

"Pastor, estou meio receoso de subir ali porque *sinto que Deus está prestes a fazer algo.*"

Lágrimas corriam pelo meu rosto quando eu disse aquilo. Não era medo de que Deus me derrubasse, ou que algo ruim acontecesse. Eu simplesmente não queria interferir e ofender a preciosa presença que estava enchendo aquela sala! Durante muito tempo, nós, humanos, só permitimos que o Espírito Santo assumisse o controle *até certo ponto*. Basicamente, sempre que as coisas saem da nossa zona de conforto ou fogem um pouco do nosso comando, puxamos as rédeas (em 1 Tessalonicenses 5:19, a Bíblia chama isto de "apagar o Espírito"). Paramos no véu do tabernáculo muitas vezes.

"Sinto que devo ler 2 Crônicas 7:14 e entregar uma palavra da parte do Senhor", disse meu amigo pastor.

Em meio a um rio de lágrimas, concordei: "Vá, vá".

Meu amigo não é muito dado a demonstrar seus sentimentos externamente; pode-se dizer que é um homem de emoções "estáveis". Mas quando se levantou para andar até o púlpito, aparentava estar visivelmente trêmulo. Àquela altura, senti de tal maneira que algo estava para acontecer, que andei da primeira fila até os fundos da sala para ficar de pé junto à cabine de som. Eu sabia que Deus ia fazer algo; eu apenas não sabia onde. Como estava na primeira fila, poderia acontecer atrás de mim ou ao meu lado. Por isso, desesperado por capturá-lO, levantei e andei para trás, até a cabine de som, enquanto o pastor se dirigia ao púlpito para falar; dali poderia ver tudo. Eu não tinha certeza se o púlpito seria o lugar, mas sabia que algo iria

Em Busca do Amado da Sua Alma   21

acontecer. "Deus, quero ser capaz de ver o que quer que o Senhor esteja prestes a fazer."

Meu amigo subiu ao púlpito vazio[2] no centro da plataforma, abriu a Bíblia e leu calmamente a arrebatadora passagem de 2 Crônicas 7:14:

> *Se o meu povo, que se chama pelo meu nome, se humilhar,*
> *e orar, e me buscar, e se arrepender dos seus maus caminhos,*
> *então eu ouvirei do céu, perdoarei os seus pecados, e sararei a*
> *sua terra.*

Então ele fechou a Bíblia, agarrou as bordas do púlpito com as mãos trêmulas, e disse: "A Palavra do Senhor para nós é que paremos de buscar os Seus benefícios e busquemos a Ele. Não devemos mais buscar as Suas mãos, mas a Sua face".

Naquele instante, ouvi o que parecia o som de uma trovoada através do prédio, e o pastor foi literalmente levantado e lançado do púlpito cerca de três metros para trás, enquanto o púlpito caía para frente. O lindo arranjo de flores que estava diante dele também caiu, mas *no instante em que o púlpito atingiu o chão*, ele já estava partido em dois. Ele havia se partido quase como se um raio o tivesse atingido! Naquele momento, o terror tangível da presença de Deus encheu aquele aposento.

As Pessoas Começaram a Chorar e a Gemer

Rapidamente peguei o microfone nos fundos da sala e disse: "Caso vocês não estejam entendendo, Deus acaba de entrar neste lugar. O pastor está bem [Apesar de só ter conseguido se levantar duas horas e meia depois, carregado pelos auxiliares da igreja. A única prova de que estava vivo eram suas mãos, que tremiam ligeiramente]. Ele vai ficar bem".

Enquanto tudo isso acontecia, os auxiliares correram logo para verificar como o pastor estava e pegar os dois pedaços do púlpito dividido. Ninguém realmente prestou muita atenção para o móvel partido; estávamos ocupados demais com os céus abertos. A presença de Deus havia atingido aquele lugar como uma espécie de bomba, fazendo com que as pessoas começassem a chorar e a gemer. Eu disse: "Se você não está do jeito que deveria estar, este é um bom momento para se acertar com Deus". Jamais vi um apelo como aquele. Foi um absoluto alvoroço. As pessoas empurravam-se umas às outras e não queriam esperar abrir um espaço no corredor. Elas subiam nos bancos, enquanto homens de negócios rasgavam suas gravatas ao tentar tirá-las, ficando literalmente empilhados uns sobre os outros, em meio ao mais espantoso e harmônico som de arrependimento que já se ouviu. A simples lembrança disso me dá calafrios na espinha. Quando fiz aquele apelo para o culto das 8h30, não fazia ideia de que seria apenas o primeiro dos *sete* apelos daquele dia.

Quando chegou o momento de iniciar o culto das 11h, ninguém havia deixado o prédio. As pessoas ainda estavam prostradas sobre seus rostos, e, embora não houvesse quase nenhuma música sendo tocada àquela altura, a adoração era desenfreada e sem inibição. Homens adultos dançavam balé; criancinhas choravam de arrependimento. O povo estava prostrado sobre seus rostos, sobre seus joelhos, mas acima de tudo na presença do Senhor. Havia tanto da presença e do poder de Deus ali que as pessoas começaram a sentir uma necessidade urgente de serem batizadas. Pude ver o que aconteceu quando Ele se aproximou; elas entraram pelas portas do arrependimento e, uma após a outra, experimentarem a glória e a presença de Deus. As pessoas queriam ser batizadas, então entrei num dilema quanto ao que fazer. O pastor ainda estava indisponível, caído no chão. Pessoas importantes vinham até mim e diziam: "Preciso ser batizado. Alguém me diga o que fazer". Eles se juntaram ao batalhão dos não salvos, que agora estavam salvos, unicamente por terem encontrado a presença de Deus. Não houve sermão ou qualquer canção – apenas o Seu Espírito naquele dia.

Duas horas e meia haviam se passado, e como o pastor só havia conseguido mexer um dedo até aquele instante para chamar os diáconos, os auxiliares tinham decidido carregá-lo até o seu gabinete. Enquanto isso, todas aquelas pessoas estavam me perguntando (ou perguntando a quem quer que conseguissem encontrar) se podiam ser batizadas. Como pastor visitante naquela igreja, eu não queria assumir a responsabilidade de dizer a ninguém para batizá-las, então mandei que fossem ao gabinete do pastor para ver se ele autorizaria os batismos nas águas.

Fiz um apelo após o outro, e centenas vieram à frente. À medida que mais e mais pessoas vinham até mim perguntando sobre o batismo, percebi que ninguém que eu enviara ao gabinete do pastor havia retornado. Finalmente, pedi que um pastor auxiliar fosse até lá e disse: "Por favor, descubra o que o pastor quer fazer a respeito do batismo – ninguém voltou ainda para me dizer". Ele entreabriu a porta do gabinete, colocou a cabeça para dentro e ficou chocado ao ver o pastor ainda deitado diante do Senhor, e todos que eu havia enviado para lá espalhados pelo chão também, chorando e se arrependendo diante de Deus. Ele voltou depressa para me dizer o que havia visto e acrescentou: "Vou perguntar a ele, mas se eu entrar naquele gabinete é possível que também não volte".

O Batismo que Durou Horas

Encolhi os ombros e concordei com o pastor auxiliar: "Acho que faremos bem em batizá-los". Então começamos a fazer com que as pessoas descessem às águas como sinal externo de seu arrependimento, e terminamos o batismo *horas* depois. Mais pessoas continuavam a chegar a cada momento, e como os participantes do primeiro culto ainda estavam ali, havia carros estacionados por todos os lados na área externa do prédio da igreja. Um grande campo de futebol ao ar livre, próximo ao prédio, também estava repleto de carros estacionados.

À medida que as pessoas entravam no estacionamento, elas sentiam a presença de Deus de maneira tão forte que algumas começavam a chorar descontroladamente. Viam-se andando pelo estacionamento ou sobre a grama sem saber o que estava acontecendo. Algumas desciam dos carros e mal conseguiam se manter de pé. Outras entravam no prédio apenas para caírem ao chão quando se viam do lado de dentro. Os auxiliares, em apuros, literalmente tinham de empurrar as pessoas indefesas para longe das portas para que a entrada fosse liberada. Uns conseguiam subir uma parte das escadas, e outros alcançavam a entrada, antes de caírem prostrados sobre seus rostos em arrependimento.

Alguns conseguiam chegar ao auditório, mas a maioria não se preocupava em encontrar um lugar. Queriam apenas aproximar-se do altar. Não importa o que fizessem ou quão longe conseguissem chegar, não demorava muito até que começassem a chorar e a se arrepender. Como já disse, não havia nenhuma pregação. Não havia sequer música em boa parte do tempo. Mas uma coisa aconteceu naquele dia: a *presença de Deus foi real em nosso meio*. Quando isso acontece, a primeira coisa que você quer fazer é o mesmo que Isaías fez quando viu o Senhor em seu alto e sublime trono. Ele clamou das profundezas de sua alma:

> *Então disse eu: Ai de mim! Pois estou perdido,*
> *porque sou um homem de lábios impuros, e habito*
> *no meio de um povo de impuros lábios; **os meus olhos***
> ***viram o Rei**, o Senhor dos Exércitos.*
>
> Isaías 6:5

No instante em que Isaías, o profeta, o servo escolhido de Deus, viu o Rei da glória, o que costumava considerar puro e santo agora lhe pareciam trapos imundos. Ele refletiu: *Pensei que conhecesse a Deus, mas não O conhecia tanto assim!* Naquele domingo, parecia que havíamos chegado tão perto que quase conseguimos tocá-lO. Agora sei que isso é possível.

Eles Voltavam e Queriam Sempre Mais

As pessoas continuavam a encher o auditório cada vez mais, desde aquele estranho culto que começara às 8h30 da manhã. Por volta das 4 da tarde finalmente saí para comer alguma coisa, mas voltei em seguida para o prédio da igreja. Muitos não foram embora. O ininterrupto culto dominical da manhã estendeu-se até 1h de segunda-feira. Não foi preciso anunciar os nossos planos para a noite de segunda-feira. Todos já sabiam. Para ser sincero, teria havido um culto quer tivéssemos anunciado ou não. As pessoas iam para casa porque precisavam dormir um pouco ou para fazer as coisas que tinham de fazer, e voltavam logo em seguida para receber *mais* – não mais dos homens e de suas programações, mas para receber mais de Deus e da Sua presença.

Noite após noite, o pastor e eu voltávamos e dizíamos: "O que vamos fazer?" Na maioria das vezes, a nossa resposta mútua era apenas um previsível "O que você quer fazer?" O que queríamos dizer realmente era: "Não sei o que fazer. O que Deus quer fazer?"

Em Busca do Amado da Sua Alma

Às vezes tentávamos "tomar a igreja" de volta para fazer um culto, mas o clamor das pessoas com fome rapidamente atraía a presença do Senhor e, de repente, *Deus nos tomava!* Ouça, meu amigo, Deus não se importa com sua música, suas torres, nem com seus prédios impressionantes. O tapete da igreja não O impressiona – foi Ele quem estendeu os tapetes sobre os campos da terra. Deus realmente não se importa com nada do que você possa "fazer" por Ele; Ele só se importa com a sua resposta a uma pergunta: *"Você Me quer?"*

Destrua Tudo o Que Não Venha de Ti, Senhor!

Costumamos programar os cultos de nossas igrejas de uma forma tão rígida que realmente não deixamos espaço para o Espírito Santo. Bem, talvez permitamos que Deus fale profeticamente por um curto período, mas ficamos nervosos se Ele tenta desfazer o nosso roteiro. Não podemos permitir que Deus "saia da caixa" onde o colocamos e aja livremente no culto por muito tempo porque Ele pode estragar tudo! (Esta passou a ser a minha oração: "Saia das nossas caixas, Senhor, e destrua tudo o que não vem de Ti!")

Quero lhe fazer uma pergunta: Quanto tempo faz desde que você foi à igreja e disse: "Vamos *esperar* pela presença do Senhor"? Creio que temos medo de esperar por Ele porque temos medo de que Ele não apareça. A Bíblia tem uma promessa para você: "Os que esperam no Senhor renovarão as suas forças" (Is 40:31a). Você quer saber por que temos uma vida cristã fraca e não recebemos tudo o que Deus quer para nós? Quer saber por que vivemos presos aos privilégios mundanos e não temos forças para vencer a nossa própria carnalidade? Talvez porque não estamos esperando que o Senhor apareça para nos encher de poder, e estamos tentando fazer coisas demais confiados no nosso próprio poder humano.

Deus destruiu Tudo em Houston

Não estou tentando fazer com que você se sinta mal. Sei que a maioria dos cristãos e dos nossos líderes são pessoas sinceramente bem intencionadas, mas *existe muito mais*. Você pode "capturar" Deus – pergunte a Jacó! E isso irá desconstruir o modo como você sempre fez as coisas! Mas você *pode* capturá-lO! Falamos, pregamos e ensinamos tanto sobre avivamento que a Igreja não suporta mais ouvir falar nisso. Foi isso que fiz durante toda a vida, pregar sobre avivamentos – ou pelo menos achava que fazia isso. Então naquele dia Deus "saiu da caixa", e desconstruiu todos os nossos programas ao se fazer presente. Sete noites por semana, durante as cinco semanas seguintes, centenas de pessoas fizeram fila para se arrepender e receber a Cristo, adorar, esperar e orar. O que havia acontecido na história, passada e presente, estava acontecendo de novo. Então ficou evidente para mim: "Deus, Tu queres fazer isto *em todos os lugares*". A presença manifesta do Senhor pairou ali durante meses.

Deus Está Voltando para Recuperar a Posse da Igreja

Que eu saiba, há somente uma coisa que faz Deus parar: fome por Ele. Ele não vai derramar o Seu Espírito onde não houver fome. Ele procura pelos famintos. Estar com fome significa que você se sente insatisfeito com *a maneira como as coisas estão* porque elas o forçaram a viver sem *Ele*, sem a Sua plenitude. Ele só vem quando você está pronto para entregar-lhE tudo. Deus está voltando para recuperar a posse da Sua Igreja, mas você precisa estar faminto.

Ele quer se revelar entre nós. Ele quer vir cada vez mais forte, mais forte e mais forte, *até que a sua carne não consiga mais suportar*. A beleza de tudo isto é que *nem mesmo os não salvos que estiverem passando poderão resistir*. E isso está começando a acontecer. Eu ainda verei o dia em que os pecadores pararão ao passar dirigindo por locais onde os céus estão abertos. Eles pararão nos estacionamentos com um olhar estarrecido, sairão batendo as portas e dizendo: "Por favor, há alguma coisa aqui... eu preciso disso".

O Que Faremos?

Você não está cansado de tentar entregar panfletos, de bater nas portas e fazer com que as coisas aconteçam? Temos tentado fazer com que as coisas aconteçam por muito tempo. Agora *Ele* quer fazer as coisas acontecerem! Por que você não descobre o que Ele está fazendo e se junta a nós? Foi isso o que Jesus fez. Ele disse: "Pai, o que Tu estás fazendo? É isso o que farei".[3]

Deus quer se mudar para a sua igreja. Quanto tempo faz desde que você sentiu tanta fome de Deus que o consumiu a ponto de não se importar mais com o que as pessoas pensassem a seu respeito? Eu o desafio agora mesmo a esquecer toda distração e toda opinião, e refletir comigo: o que você está sentindo agora mesmo ao ler sobre a forma como o próprio Deus invadiu aquela igreja? Você está tentando calar isso? O que está atraindo o seu coração? Você não sente o despertar daquilo que pensava estar esquecido há muito tempo? Quanto tempo faz desde que você sentiu o que está sentindo agora? Levante-se e busque a presença do Senhor. Torne-se um caçador de Deus.

Não estou falando daquele entusiasmo comum aos períodos de louvor e adoração. Sabemos como fazer com que a música "funcione", as vozes sejam extraordinárias, o acompanhamento seja impressionante e tudo pareça perfeito. Mas não é disto que estou falando, e não é isto que está gerando fome em você neste momento. Falo de uma fome pela *presença de Deus*. Eu disse "uma fome pela *presença de Deus*".

Quero ser direto com você neste momento. Sei, no mais íntimo do meu coração, que a verdade é que a Igreja tem vivido uma arrogância farisaica por tanto tempo que cheiramos mal às narinas de Deus. Ele não consegue sequer olhar para nós do jeito que estamos. Assim como você e eu nos sentimos constrangidos em um restaurante ou supermercado quando vemos o filho de alguém se comportando mal e não sendo repreendido por isso, Deus se sente do mesmo modo com relação à nossa prepotência. Ele fica desconfortável com o nosso farisaísmo e a nossa presunção. Não estamos assim "tão próximos" dEle quanto achamos que estamos.

"O que pode mudar tudo isso e nos aproximar dEle?"

"O arrependimento."

> *E, naqueles dias, apareceu João o Batista*
> *pregando no deserto da Judéia, E dizendo:*
> **Arrependei-vos, porque é chegado o reino dos céus.**
> *Porque este é o anunciado pelo profeta Isaías, que disse:*
> *Voz do que clama no deserto:* **Preparai o caminho**
> **do Senhor, endireitai as Suas veredas.**
>
> Mateus 3:1-3

O arrependimento prepara o caminho e endireita as veredas do nosso coração. O arrependimento levanta todo lugar rebaixado e rebaixa todo lugar exaltado em nossas vidas e na nossa congregação. *O arrependimento nos prepara para a Sua presença.* Na verdade, você não pode viver na presença dEle sem arrependimento. O arrependimento permite que você O busque; ele constrói a estrada para que você chegue até Deus (ou para que Deus chegue até você!). Pergunte a João Batista. Quando ele construiu a estrada, Jesus "veio andando".

Este é o ponto principal daquilo que tenho a dizer: quanto tempo se passou desde que você disse "Vou buscar a Deus"? Quanto tempo faz desde que você deixou de lado tudo que o mantinha ocupado e correu pela estrada do arrependimento *em busca de Deus*?

Não se Trata de Orgulho; Trata-se de *Fome*

Eu costumava fazer de tudo para pregar bons sermões, atrair grandes multidões e tentar fazer grandes coisas para Ele. Mas todas essas coisas ruíram. Agora sou um caçador de Deus. Nada mais importa. Eu lhe digo como seu irmão em Cristo que o amo, mas amo mais ao Senhor. Não me preocupo com o que as outras pessoas ou os outros ministros pensam a meu respeito. Estou em busca de Deus. Não se trata de orgulho; trata-se de *fome*. Quando você busca a Deus de todo o coração, alma e corpo, Ele se volta para encontrá-lo, e você sai desta experiência como *desconstruído* os olhos do mundo.

As coisas boas passaram a ser inimigas das melhores coisas. Eu o desafio hoje, enquanto você lê estas palavras, a deixar que o seu coração seja quebrantado pelo Espírito Santo. É hora de você santificar a sua vida. Deixe de ver o que você costumava ver; deixe de ler o que costumava ler, caso esse tipo de leitura tome mais do seu tempo do que a leitura da Sua Palavra. Ele deve ser a sua maior e mais urgente fome.

Se você está contente e satisfeito, então eu o deixarei em paz e você poderá fechar este livro em segurança; eu não o importunarei mais. Mas se você tem fome, há uma promessa do Senhor para você. Ele disse: "Bem-aventurados os que têm fome e sede de justiça, porque eles serão fartos" (Mt 5:6).

Nunca Tivemos Fome

O nosso problema é que nunca tivemos fome realmente. Permitimos que as coisas deste mundo satisfizessem as nossas vidas e saciassem a nossa fome. Procuramos nos aproximar de Deus semana após semana, ano após ano, apenas para que Ele preencha os espaços vazios. Mas saiba que Deus está cansado de ficar em "segundo lugar", depois de todas as outras coisas em nossa vida. Ele também está cansado de ficar em segundo plano na programação e na vida da igreja!

Todas as coisas boas, inclusive aquelas que a sua igreja local faz – desde alimentar os pobres, ajudar os órfãos e ensinar às crianças na Escola Dominical –, deveriam fluir da presença de Deus. Nosso principal fator de motivação deveria ser: "Fazemos isto por causa dEle e porque isto está no Seu coração". Mas se não tomarmos cuidado, podemos ficar tão envolvidos em fazer coisas *para* Ele que *Ele* mesmo poderá acabar sendo esquecido.

Existe o risco de você ficar tão envolvido em ser "religioso" que nunca se torne espiritual. Não importa o quanto você ora (Perdoe-me por dizer isto, mas você pode estar perdido, ou sequer conhecer a Deus, e ainda assim ter uma vida de oração). Não me importa o quanto conhece a respeito da Bíblia, ou o que sabe *a respeito* dEle. Estou lhe perguntando: "Você *O conhece?*"

Temo que tenhamos saciado a nossa fome por Ele lendo suas antigas cartas de amor às igrejas nas Epístolas do Novo Testamento. Elas são boas, santas e necessárias, mas *nunca conseguiremos ter intimidade com Ele apenas lendo-as.* Sufocamos nossa fome por Sua presença *fazendo coisas* para Ele.

Um casal pode fazer coisas um para o outro sem realmente se amar. Eles podem fazer o pré-natal juntos, ter filhos e dividir o aluguel, sem jamais desfrutar do alto nível de intimidade que Deus ordenou e planejou para o casamento (e não estou falando apenas do aspecto sexual). Frequentemente vivemos num plano inferior ao que Deus pretendeu para nós, então, quando Ele aparece inesperadamente com todo o Seu poder, ficamos chocados. A maioria de nós simplesmente não está preparada para ver "a orla das Suas vestes encherem o templo".

É possível que o Espírito Santo já esteja falando com você. Se mal está conseguindo segurar as lágrimas, então deixe-as descer. Oro para que o Senhor, agora mesmo, desperte em seu interior aquela fome praticamente esquecida. Talvez você costumasse se sentir assim no passado, mas permitiu que outras coisas o preenchessem e substituíssem o desejo de estar em Sua presença.

Em nome de Jesus, deixe agora a religião morta e entre na fome espiritual. Oro para que você sinta tanta fome por Deus que não se importe com nada mais.

Creio que vejo uma chama reluzente... Deus irá fazê-la queimar.

*Senhor, queremos somente a
Tua presença. Estamos com tanta fome!*

Notas Finais

1. Ver Filipenses 3:12.
2. O púlpito era feito de um plástico acrílico de alta tecnologia. Os engenheiros dizem que este material é capaz de suportar milhares de quilos de pressão por centímetro quadrado.
3. Ver João 5:19, 20.

Capítulo 2

Não Há Pão na "Casa do Pão"

Migalhas no tapete e prateleiras vazias

A compreensão da presença de Deus como prioridade vem se perdendo na Igreja moderna. Somos como padarias que estão abertas, mas não têm pão. Além do mais, não estamos interessados em vender pão. Apenas gostamos da conversa fiada que gira em torno dos fornos frios e das prateleiras vazias. Na verdade, pergunto-me se ao menos sabemos quando Ele está aqui ou não, e se está, o que anda fazendo e para onde está indo. Ou só estamos preocupados demais em varrer as migalhas imaginárias das padarias que não têm pão?

Será que Ao Menos Sabemos Quando Ele Está na Cidade?

No dia em que Jesus fez o que chamamos de "a entrada triunfal em Jerusalém" sobre o lombo de um burrinho, seu itinerário pela cidade provavelmente incluiu uma passagem pela entrada do templo de Herodes. Creio que o motivo pelo qual os fariseus ficaram irritados com a marcha de João 12 foi porque ela atrapalhou os cultos religiosos que estavam acontecendo dentro do templo.

Posso ouvi-los reclamando: "O que está acontecendo? Você está perturbando o sumo sacerdote! Não sabe o que estamos fazendo? Estamos tendo um culto de oração importante aqui dentro. Você sabe por que estamos orando? *Estamos orando para que o Messias venha!* E você tem a audácia de fazer este desfile barulhento e nos perturbar?! Quem está no comando desta multidão descontrolada, afinal?" *Ei, está vendo aquele sujeito no burrinho?* Eles perderam a hora da visitação de Jesus. Ele estava na cidade e os fariseus não sabiam. O Messias passou bem diante da porta deles enquanto estavam lá dentro orando para que Ele viesse. O problema foi que Jesus não veio da maneira que eles esperavam. Por isso não O reconheceram. Se o Salvador tivesse vindo montado num cavalo branco, ou numa carruagem real de ouro, acompanhado de uma falange de soldados, os fariseus e os sacerdotes diriam: "Pode ser Ele". Infelizmente, estavam mais interessados em ver o Messias quebrar o jugo do cativeiro romano do que em vê-lO quebrar o cativeiro espiritual que havia se tornado uma praga naquela terra e no meio do povo.

Deus está se preparando para surgir em nossas nações, ainda que Ele tenha de passar longe de nossas igrejas enfadonhas e aparecer nos botequins! Seria inteligente de nossa parte lembrar que Ele passou por cima das elites religiosas antes de ir jantar com os pobres, os profanos e as prostitutas. A Igreja Ocidental, e principalmente a igreja dos Estados Unidos, têm exportado seus programas sobre Deus para todo o mundo, mas é hora de aprendermos que os nossos *programas* não são sinônimo de progresso. O que precisamos é da *presença* dEle. Precisamos decidir que, custe o que custar e venha de onde vier, precisamos ter Deus entre nós. E Ele quer vir – nas condições dEle, não nas nossas. Até lá, a ausência do "sobrenatural" continuará a assombrar a Igreja.

Podemos estar *lá dentro* orando para que Ele venha enquanto Ele passa *do lado de fora*. E, o que é pior, os "de dentro" perdem a Sua presença enquanto os "de fora" marcham com Ele!

O Pão é Escasso em Tempos de Fome

E sucedeu que, nos dias em que os juízes julgavam, houve uma fome na terra, por isso um homem de Belém de Judá[1] saiu a peregrinar nos campos de Moabe, ele e sua mulher, e seus dois filhos. E era o nome deste homem Elimeleque, e

*o de sua mulher Noemi, e os de seus dois filhos Malom e
Quiliom, efrateus, de Belém de Judá; e chegaram aos campos
de Moabe, e ficaram ali.*

*E morreu Elimeleque, marido de Noemi; e ficou ela com os
seus dois filhos, os quais tomaram para si mulheres moabitas;
e era o nome de uma Órfã, e o da outra Rute; e ficaram ali
quase dez anos.*

*E morreram também ambos, Malom e Quiliom, ficando
assim a mulher desamparada dos seus dois filhos e de seu
marido.*

*Então se levantou ela com as suas noras, e voltou dos campos
de Moabe, porquanto na terra de Moabe ouviu que o Senhor
tinha visitado o seu povo, dando-lhe pão.*

Rute 1:1-6

As Pessoas Deixam a Casa do Pão por um Motivo

Noemi, seu marido e seus dois filhos partiram de casa e se mudaram
para Moabe *porque havia fome em Belém*. Pense no sentido literal do
nome hebraico da cidade natal dessa família: Belém significa "casa do
pão". E eles deixaram *a casa do pão* porque *não havia pão na casa*. O
motivo pelo qual as pessoas deixam as igrejas é simples – não há pão.

O pão também fazia parte das práticas do templo; os chamados
pães da *proposição* eram prova da presença de Deus. O pão era a única
coisa que, historicamente, funcionava como um indicador da presença
de Deus. No Antigo Testamento vemos que ele ficava no Santo Lugar
e era chamado também de "o pão da Presença" (Nm 4:7). O pão da
proposição ou *da presença* poderia ser melhor interpretado como o
"pão da aparição", ou, em termos hebraicos, "o pão que mostra o
rosto de Deus". Era um símbolo celestial do próprio Deus.

Noemi e sua família têm algo em comum com as pessoas que
deixam ou evitam totalmente as igrejas de hoje – elas abandonaram
"aquele" lugar e foram para outro lugar tentar encontrar pão. Posso
lhe dizer por que as pessoas estão indo aos milhões para os bares,
clubes e locais onde há manifestações de paranormalidade. Elas estão
apenas tentando sobreviver, já que a Igreja falhou com elas. Elas olharam para dentro dela e constataram, ou seus pais e amigos olharam e

lhes contaram: o armário espiritual estava vazio. Não havia presença na despensa, apenas prateleiras vazias e escritórios cheios de receitas de pão. E o forno estava frio e empoeirado.

Fazemos propaganda enganosa e valorizamos nossa afirmação de que há pão na casa. Mas quando os famintos chegam, tudo o que eles conseguem fazer é procurar no tapete algumas migalhas dos avivamentos passados. Falamos orgulhosamente sobre onde Ele esteve e o que fez, mas podemos dizer muito pouco sobre o que Ele está fazendo entre nós hoje. Isto não é culpa de Deus; é nossa culpa. Só temos sobras do que existia antes – um resíduo da glória que se foi. E, infelizmente, mantemos um manto de segredo sobre esse fato, muito parecido com a atitude de Moisés, que encobria seu rosto depois que o "resplendor" da glória desaparecia.[2] Costumamos camuflar o nosso vazio assim como os sacerdotes dos tempos de Jesus mantinham o véu no lugar, mas sem a arca da aliança por trás dele.

É possível que Deus também precise "rasgar" o véu da nossa carne para revelar o vazio interior da Igreja. Apontamos com orgulho para onde Ele esteve (protegendo a tradição do templo) enquanto preferimos negar a "glória" do Filho de Deus, óbvia e aparente. Os religiosos dos tempos de Jesus não queriam que o povo percebesse que não havia nenhuma glória por trás do véu que eles seguravam. A presença de Jesus trazia problemas. O espírito religioso precisa preservar o conhecimento de onde Ele esteve, mesmo que isso significasse abrir mão do conhecimento de onde Ele está!

Mas um homem que teve uma experiência com Deus jamais ficará à mercê de outro homem que só possui argumentos. "Tudo o que sei é que eu era cego, mas agora posso ver!" (ver João 9:25). Se pudermos conduzir as pessoas à presença manifesta de Deus, todos os argumentos da falsa teologia cairão.

Ainda nos perguntamos por que há tanta gente que mal consegue curvar a cabeça quando entra em nossas reuniões e lugares de adoração. "Onde foi parar o temor de Deus?", clamamos como A. W. Tozer. As pessoas não sentem a presença de Deus em nossas reuniões porque ela simplesmente não está ali com força suficiente para ser percebida. E isto cria outro problema. Quando as pessoas recebem apenas um toque de Deus misturado com uma grande quantidade de

Em Busca do Amado da Sua Alma

coisas que não são de Deus, acabam ficando imunes à manifestação real do Senhor. Por terem experimentado migalhas da presença de Deus, quando dizemos "Deus está realmente aqui", elas respondem "Não, eu já estive lá, fiz isso e aquilo, comprei aquela camiseta, e não O encontrei; realmente não funcionou para mim". O problema é que Deus estava ali sim, mas não havia o suficiente dEle! Não houve uma experiência de encontro com o Senhor na estrada de Damasco. Não houve uma sensação inegável e irresistível da Sua presença manifesta.

As pessoas foram à Casa do Pão diversas vezes, mas descobriram que havia *muito do homem* e *muito pouco de Deus* ali. O Todo-Poderoso está determinado a restaurar a percepção da Sua extraordinária presença em nossas vidas e em nossos lugares de adoração. Falamos muito sobre a glória de Deus cobrindo a terra, mas como ela vai fluir pelas ruas de nossas cidades se não consegue fluir nem pelos corredores de nossas igrejas? Isto precisa começar em algum lugar, e não vai ser "lá fora". Precisa começar "aqui dentro"! Precisa começar "no templo", como escreveu Ezequiel. "... vi água saindo de debaixo da soleira do templo..." (Ez 47:1; NVI).

Se a glória de Deus não pode fluir pelos corredores da igreja por causa de espíritos sedutores e de homens manipuladores, então Ele terá que se voltar para outro lugar, como fez no dia em que Jesus passou pela "casa do pão" (templo) em Jerusalém montado num burrinho. Se não há pão na casa, então não culpo os famintos por não irem lá! Eu também não iria!

Rumores de Que Há Pão Chegam a Moabe

Quando Belém, a casa do pão, está vazia, as pessoas são forçadas a procurar o pão da vida em outro lugar. O dilema que elas enfrentam é que as alternativas do mundo podem ser mortais. Como Noemi estava para descobrir, Moabe é um lugar cruel. Moabe roubará os seus filhos de você e os enterrará antes do tempo. Moabe separará você do seu cônjuge. Moabe roubará sua própria vitalidade. No final, tudo o que restou a Noemi foram duas noras que ela conhecia há apenas dez anos. Sem nada além de um futuro sombrio e desastroso, a viúva lhes disse: "Vocês não devem ficar comigo. Não tenho mais filhos para dar a vocês". E então ela comentou: "Ouvi rumores..."[3]

Um rumor não-oficial se espalha em toda comunidade, vilarejo e cidade do mundo. Ele circula pelos litorais, sobe cada montanha, e passa por todo lugar onde os homens e mulheres habitam. É o "boato dos famintos". Se apenas um deles ouvir o rumor de que voltou a haver pão na Casa do Pão, a novidade correrá como uma descarga elétrica, na velocidade da luz. A notícia sobre o pão correrá de casa em casa, de um lugar a outro quase que instantaneamente. Você não terá de se preocupar em anunciá-la na TV ou promovê-la como geralmente fazemos com as notícias no mundo. Os famintos ouvirão a notícia:

> "Não, não é mentira! É difícil de acreditar, mas desta vez não é exagero ou manipulação. Não, não é só um pouco; não são apenas migalhas no carpete. *De fato há pão novamente na Casa do Pão!* Deus está na Igreja!"

Quando isto acontecer, não teremos espaço suficiente para receber os famintos em nossas igrejas, não importa quantos cultos tenhamos por dia. Por quê? Como? *Tudo o que precisamos é fazer com que o pão volte!*

Contentando-se com Migalhas no Tapete

Há muito mais de Deus disponível do que jamais soubemos ou imaginamos, mas ficamos tão satisfeitos com a maneira como estamos e com o que temos que não *insistimos* para alcançar o melhor de Deus. Sim, Deus está se movendo entre nós e trabalhando em nossas vidas, mas temos estado contentes em varrer o tapete em busca de migalhas em vez de buscarmos o abundante pão quente que Deus preparou para nós nos fornos do céu! Ele preparou uma grande mesa da Sua presença neste dia e está chamando a Igreja: "Venham cear".

Ignoramos a convocação de Deus enquanto contamos cuidadosamente as nossas migalhas envelhecidas do pão do ano passado. Enquanto isso, milhões de pessoas do lado de fora das paredes da igreja estão morrendo de inanição. Elas estão fartas dos nossos programas de autoajuda e crescimento pessoal preparados por homens. Estão famintas dEle, e não de histórias sobre Ele. Elas querem a comida, mas tudo o que temos para lhes dar é um pobre cardápio plastificado contendo as fotos desbotadas do alimento que um dia esteve nas mãos dos famintos. É por isso que vemos homens e mulheres de alto nível social usando cristais em volta do pescoço na esperança de entrar em contato com algo além de si mesmos e de sua triste existência. Ricos e pobres correm para os seminários-relâmpago sobre iluminação e paz interior, engolindo ingenuamente cada pedaço do incrível lixo que é passado como a última brilhante revelação do outro mundo.

Como isso pode acontecer? A Igreja deveria ficar envergonhada ao ver tantas pessoas que sofrem procurando algo mais em consultas paranormais, astrologia e guias espíritas na tentativa de encontrar orientação e esperança para suas vidas! As pessoas estão com tanta fome que acabam gastando milhões de dólares em uma indústria de ocultismo surgida repentinamente e repleta de adivinhos falsos. Até os verdadeiros "médiuns" ou "adivinhos" que entram em contato com o mundo obscuro dos espíritos familiares ocultos e satânicos são raros entre este grupo. Há tanto desespero por esperança que elas aceitarão o conteúdo enlatado dos marqueteiros como se fosse discernimento espiritual. *Ah, a profundidade da fome espiritual do mundo!* Há somente uma razão pela qual tantas pessoas mostram-se tão dispostas a tentar entrar em contato com alguma coisa do outro lado, mesmo aceitando imitações – elas não sabem onde encontrar o que é real. A culpa só pode recair sobre um lugar. Esta hora parece ter sido feita sob medida para que a Igreja cheia da presença de Deus prevaleça.

Agora devo repetir uma das declarações chocantes que ouço Deus fazer incessantemente ao meu espírito:

> *... há tanto de Deus na maioria das igrejas*
> *quanto na maioria dos bares.*

Não é de admirar que nem os pecadores nem os santos sintam a necessidade de se curvarem quanto entram em um culto de adoração. Eles não sentem a presença de nada nem de ninguém digno de adoração entre nós.

Contudo, se a Igreja se tornasse o que deve e pode ser, teríamos de nos esforçar para poder acomodar as pessoas procurando por "pão" na casa. E quando as pessoas entrassem nas nossas casas de pão, ninguém teria de lhes dizer para "curvarem as suas cabeças em oração". Elas cairiam sobre seus rostos diante do nosso santo Deus sem que uma única palavra fosse dita. Até mesmo os não-cristãos instintivamente saberiam que o próprio Deus havia entrado ali.[4]

Perguntaríamos uns aos outros: "Quem vai operar os telefones amanhã?", sabendo que as linhas estariam ocupadas por pessoas que ligariam para dizer: "Preciso ouvir a voz de Deus!" Por que digo isto? Porque quando as pessoas pagam um preço exorbitante para consultar paranormais, isso significa que elas realmente estão tentando alcançar Deus e encontrar alívio para a dor que existe em suas vidas. Elas apenas não sabem aonde mais podem ir para encontrá-lo. O rei Saul viveu o desespero de ter sido cortado da presença de Deus. Quando não podia mais alcançá-lo ou tocá-lo, ele disse: "Então deixe-me encontrar uma feiticeira. Qualquer pessoa! Preciso de uma palavra ainda que tenha de me disfarçar e entrar sorrateiramente pela porta dos fundos. Preciso ter acesso ao mundo espiritual".[5]

Há outro problema com o qual Deus está preocupado, e Jesus o revelou quando repreendeu os líderes religiosos da Sua época: "Ai de vocês, mestres da lei e fariseus, hipócritas! Vocês fecham o Reino dos céus diante dos homens! Vocês mesmos não entram, nem deixam entrar aqueles que gostariam de fazê-lo" (Mt 23:13; NVI). Já é ruim quando você se recusa a entrar, mas Deus fica ainda mais nervoso quando você fica na porta e impede que outra pessoa entre! Por causa da nossa ignorância acerca dos assuntos espirituais e da nossa falta de fome, temos "ficado na porta" – o modo como temos feito as coisas bloqueia o acesso dos perdidos e famintos. As nossas constantes alegações de que temos pão quente, sustentadas somente por migalhas velhas sobre o tapete gasto da tradição dos homens, deixaram incontáveis gerações famintas, sem lar, e sem outro lugar para ir além de Moabe. E o preço que pagam ao viver em Moabe é muito alto: seus casamentos, filhos e até suas próprias vidas.

Hoje há um leve rumor de que há pão na casa de Deus outra vez. Esta geração, assim como Rute (que retrata os ainda não convertidos a Jesus), está a ponto de se aliar a Noemi (que retrata os cristãos) para dizer: "Se você ouviu que realmente há pão lá, então irei com você. Onde quer que você vá, irei. O seu povo será o meu povo, e o seu Deus será o meu Deus" (ver Rute 1:16). *Se...* realmente houver pão. A reputação de Belém (a casa do pão) estava tão arrasada que Ofra não foi. Quantos, como ela, "não vão" porque estão cansados do histórico de exageros da igreja? Eles não conseguem embarcar nessa viagem.

Você sabe o que fará com que as pessoas imediatamente passem a fazer parte da igreja local? O fato de experimentarem o *pão da Sua presença* naquele lugar. Quando Rute ouviu dizer que havia pão novamente em Belém, ela deixou sua dor de lado para ir à casa do pão.

O Que Aconteceu Com o Pão?

O anúncio ainda está de pé. Ainda levamos pessoas às nossas igrejas e mostramos a elas os fornos onde costumávamos fazer pão. Os fornos ainda estão no lugar, mas o que se pode encontrar são apenas migalhas da visitação do último ano e da última grande onda de avivamento da qual os antigos falaram. Agora estamos reduzidos a estudiosos superficiais do que ansiamos experimentar algum dia. Estou constantemente lendo sobre avivamento, e pouco tempo atrás Deus me disse o seguinte: "Filho, você está lendo sobre isto porque *ainda não tem a experiência para escrever a respeito*".

Estou cansado de ler *sobre* as visitações de Deus em anos passados. Quero que Deus se revele em algum ponto da minha existência para que no futuro meus filhos possam dizer: "*Eu estava lá. Eu sei; é verdade*". Deus não tem netos. Cada geração precisa experimentar a Sua presença. O conhecimento adquirido pela leitura jamais deveria substituir a experiência da visitação.

O Que Acontece Quando Há Pão na Casa

Quando o pão da presença de Deus é restaurado na Igreja, duas coisas acontecem. Noemi era uma filha de Deus que havia deixado a casa do pão quando a mesa ficou vazia. Mas ao ouvir falar que Deus restaurara o pão a Belém, a casa do pão, ela voltou rapidamente. *Os pródigos voltarão andando para Belém* vindos de Moabe, pois eles sabem que há pão na casa, *e eles não virão sozinhos*. Noemi voltou para a casa do pão acompanhada de Rute, que nunca havia estado lá antes. Os que nunca foram salvos virão. Como resultado, Rute se tornou parte da linhagem messiânica de Jesus quando se casou com Boaz e deu à luz um filho chamado Obede, que foi o pai de Jessé, pai de Davi.[6] A futura realeza aguarda as nossas atitudes estimuladas pela fome.

O avivamento como o conhecemos "agora" é na verdade uma "reciclagem" das pessoas salvas através da Igreja para mantê-las "acessas". Mas o próximo verdadeiro avivamento trará ondas de pessoas que estão fora da igreja para a Casa do Pão – pessoas que nunca cruzaram a porta de uma igreja em suas vidas. Quando elas ouvirem que realmente há pão na casa, entrarão por nossas portas depois de sentirem a fragrância de pão quente saindo dos fornos do Céu!

Geralmente ficamos tão cheios e satisfeitos com outras coisas que insistimos em "sobreviver" com as nossas migalhas do passado. Estamos felizes com a nossa música do jeito que ela está. Estamos felizes com as nossas reuniões de "avivamento". É hora de termos um pouco do que educadamente chamo de "insatisfação divina". Será que posso dizer isso sem ser julgado? *Não estou feliz.* Com isto, quero dizer que muito embora eu tenha sido um participante do que alguns chamariam de *grande avivamento*, ainda não estou feliz. Por quê? Porque sei o que *pode* acontecer. Posso capturá-lO. Sei que existe muito mais do que qualquer coisa que eu já tenha visto ou esperado, e isto se tornou uma obsessão santa. Quero Deus. Quero mais dEle.

A Resposta Parece Ser Menos de Mim

A tática de Satanás foi nos manter tão cheios de lixo que não teríamos mais fome de Deus, e isto funcionou muito bem durante séculos. O inimigo fez com que nos acostumássemos a viver materialmente prósperos, mas espiritualmente miseráveis, ao ponto de que apenas uma migalha da presença de Deus nos satisfaz. Mas alguns não estão mais contentes com migalhas. Querem a presença dEle e nada mais os satisfará. Querem um pão inteiro! As imitações não os convencem nem os interessam; eles precisam ter algo real. A maioria de nós, porém, mantemos nossas vidas tão abarrotadas de lanches rápidos para a alma e de diversões para a carne que não sabemos o que é estar realmente faminto.

Você já viu pessoas famintas? Quero dizer *realmente famintas*. Se você pudesse vir comigo em uma viagem ministerial à Etiópia ou viajasse para alguma terra devastada pela escassez, veria o que acontece quando sacos de arroz são distribuídos entre pessoas *realmente com fome*. Elas vêm de toda parte em questão de segundos. A maioria de nós come antes de ir a um culto na igreja, então a visão de um pão sobre o altar não nos causaria qualquer impacto. Mas quando

Em Busca do Amado da Sua Alma

Deus me disse uma manhã para pregar sobre o pão, Ele também disse: "Filho, se eles estivessem morrendo de fome fisicamente, *agiriam de modo diferente*" (O interessante é que um intercessor se sentiu impelido a assar pão naquela manhã e o pastor se sentiu movido a colocá-lo sobre o altar!) Naquele dia nasceu uma fome induzida pelo céu pelo pão da Sua presença. Aquele pão gerou cura, restauração e fome por avivamento ao redor do mundo.

A Bíblia diz a respeito do Reino dos Céus: "... pela força se apoderam dele" (Mt 11:12). Por alguma razão isto não se parece conosco, não é? Nós nos tornamos tão "igrejificados" que temos a nossa própria forma de etiqueta, educada e "politicamente correta". Uma vez que não queremos ser muito radicais, alinhamos todas as cadeiras em belas fileiras e esperamos que os nossos cultos também se pareçam com filas igualmente retas e arregimentadas. Precisamos ficar tão desesperadamente famintos por Ele *que literalmente esqueçamos as boas maneiras!* A diferença mais aparente entre a adoração litúrgica e a adoração "carismática" é que uma tem um programa impresso e a outra é decorada. Geralmente, esta última saberá até mesmo quando "Deus" vai falar profeticamente!

Todos de quem consigo me lembrar no relato do Novo Testamento que se "esqueceram de suas boas maneiras" receberam algo de Deus. Não estou falando de ser mal educado, mas de uma grosseria que é fruto do desespero! O que dizer da mulher extremamente aflita que tinha um problema de hemorragia incurável e abriu caminho com cotoveladas, através da multidão, até tocar a orla das vestes de Jesus?[7] E quanto à impertinente mulher cananéia que não parava de implorar que Jesus libertasse sua filha endemoninhada em Mateus 15:22-28? Muito embora Jesus a tivesse insultado quando disse: "Não é bom pegar o pão dos filhos e deitá-lo aos cachorrinhos" (Mt 15:26b), ela insistiu. E foi tão direta e atrevida (ou simplesmente tinha uma *fome desesperada* de pão) que retrucou, dizendo: "Sim, Senhor, mas também os cachorrinhos comem das migalhas que caem da mesa dos seus senhores" (Mt 15:27).

A maioria de nós, por outro lado, se aproxima de nossos ministros e diz: "Ah, pastor, o senhor poderia orar por mim e me abençoar?" Se nada acontece, apenas encolhemos o ombro e dizemos: "Bem, vou comer", ou "Vou descansar", ou "Vou para casa e aplacarei o meu homem interior com muita comida e diversões".

Para ser sincero, estou na expectativa de que Deus pegue homens e mulheres na Sua Igreja e os torne tão obcecados pelo pão da Sua presença que não parem mais. Quanto isso acontecer, eles não vão querer apenas um toque de "abençoe-me", mas que Ele apareça no local onde estarão, independentemente de qual seja o preço ou do quanto isto possa ser desconfortável. Eles poderão parecer rudes, mas realmente não se importarão com a opinião do homem, só com a opinião de Deus. É realista dizer que a Igreja, de um modo geral, não tem lugar para pessoas assim.

Um dos primeiros passos para o avivamento é reconhecer que você está em estado de declínio. Não é uma tarefa fácil para nós, que professamos a prosperidade, mas precisamos dizer: "Estamos em declínio; não estamos em nosso melhor momento". Ironicamente, nos encontramos na estranha situação de nos compararmos ao famoso ditado de Charles Dickens: "Aquele era o melhor dos tempos, aquele era o pior dos tempos"[8].

Talvez seja o melhor dos tempos, economicamente falando, mas, de um modo geral, a Igreja não está na crista da onda da prosperidade espiritual. Quanto tempo faz desde a última vez que você curou alguém com a sua sombra? Há quanto tempo sua simples presença em uma sala de aula não faz com que as pessoas digam: "Preciso acertar a minha vida com Deus"? Onde estão os Finneys e Wigglesworths da nossa geração? Isso aconteceu com eles.

Conheço um pastor na Etiópia que estava ministrando um culto quando homens do governo comunista interromperam a reunião e disseram: "Estamos aqui para impedi-lo de continuar com as atividades da igreja". Eles já haviam feito tudo o que podiam para pará-lo, sem sucesso, então naquele dia decidiram pegar sua filha de três anos e atirá-la pela janela do segundo andar do prédio diante dos olhos de todos. Os comunistas pensaram que aquilo interromperia o culto, mas a esposa do pastor desceu ao térreo, segurou seu bebê morto nos braços e voltou ao seu lugar na primeira fila. Com isso, a adoração prosseguiu. O resultado da fidelidade desse humilde pastor foram 400.000 crentes devotos participando corajosamente de suas conferências bíblicas na Etiópia.

Meu pai era líder nacional de uma denominação pentecostal nos Estados Unidos. Ele sabia que aquele pastor vivia em meio a uma terrível pobreza na Etiópia, e certa vez ao falar com ele cometeu o erro de demonstrar o que achava ser uma piedosa compaixão. Ele disse: "Irmão, oramos por vocês em meio a essa pobreza".

Aquele homem humilde virou-se para meu pai e disse: "*Não, você não entende. Nós é que oramos por vocês em meio à sua prosperidade*". Aquilo pegou meu pai de surpresa, mas o pastor explicou: "Oramos por vocês, americanos, porque é muito mais difícil para vocês viverem como Deus quer que vocês vivam em meio à prosperidade, do que para nós que vivemos em meio à pobreza".

O maior estratagema que o inimigo tem usado para roubar a força da Igreja nos Estados Unidos tem sido o "pirulito da prosperidade". Nada contra a prosperidade. Seja tão próspero quando deseje ser, mas corra atrás de Deus, e não atrás da prosperidade. É muito fácil começar buscando a Deus e terminar buscando qualquer outra coisa![9] Não seja assim. Seja um caçador de Deus, e ponto final.

E Se Deus Realmente Aparecesse na Sua Igreja?

Se Deus de fato mostrar Sua "face" em sua igreja, posso lhe garantir que os "boatos dos famintos" da cidade espalharão a notícia da noite para o dia! Antes mesmo que você possa abrir as portas no dia seguinte, os famintos virão e farão fila para receberem o pão fresco. E por que não vemos esse tipo de resposta hoje? Porque os famintos se cansaram. Basta uma pequena gota da presença de Deus começar a fluir através de nossos cultos, para dizermos ao mundo inteiro: "Há um rio da unção de Deus aqui".

Infelizmente, na maioria das vezes, gritamos "Deus está aqui!", e os famintos aparecem apenas para descobrir que nós anunciamos, manipulamos, superpromovemos e subproduzimos as nossas mercadorias. Retratamos de maneira falsa cada gotejamento da unção de Deus como um rio poderoso e, para consternação deles, o único rio que encontraram entre nós foi um rio de palavras. Às vezes até construímos pontes magníficas sobre leitos secos de rio!

Não podemos esperar que os perdidos e os que sofrem venham correndo para o nosso "rio" apenas para descobrirem que mal temos o suficiente para um gole da taça de Deus. "Deus realmente está aqui; há comida na mesa", é o que dizemos, mas todas as vezes que eles acreditaram no nosso relato, foram forçados a vascular o tapete a fim de conseguirem simples migalhas do banquete prometido. *O nosso passado é mais poderoso do que o nosso presente.*

Não Temos Porque...

Comparado ao que Deus quer fazer, estamos cavando em busca de migalhas quando Ele tem pães quentes assando nos fornos do Céu! Ele não é Deus de migalhas e de escassez. Está apenas esperando para dispensar quantidades inesgotáveis do pão da Sua presença vivificante. Nosso problema foi descrito muito tempo atrás pelo apóstolo Tiago: "... Nada tendes, porque não pedis" (Tg 4:2), embora o salmista Davi cante através do tempo que "a sua semente" jamais "mendigará o pão" (ver Salmo 37:25).

Precisamos entender que o que temos, onde estamos e o que fazemos é *pouco* comparado ao que Ele quer fazer entre nós e através de nós. O jovem Samuel era um profeta numa geração de transição muito semelhante à nossa. A Bíblia nos diz que quando Samuel era jovem "... a palavra do Senhor era de muita valia naqueles dias; não havia visão manifesta" (1 Sm 3:1).

Certa noite, Eli, o velho sacerdote, foi se deitar, e àquela altura da vida sua visão havia se enfraquecido tanto que ele mal podia enxergar. Assim como Eli, parte do problema da igreja é que a nossa visão se obscureceu; não podemos ver como deveríamos. Passamos a nos satisfazer com a igreja que opera sob o obscuro modo "normal" do padrão vigente. Fazemos as coisas superficialmente, acendendo as lâmpadas e cambaleando de uma sala empoeirada à outra como se Deus ainda estivesse falando conosco. Mas quando Ele realmente fala, achamos que as pessoas estão sonhando. Quando Ele realmente aparece, os olhos embaçados não conseguem vê-lO. Quando Ele realmente Se move, ficamos relutantes em aceitar isso por medo de "tropeçarmos em algo desconhecido" em meio a nossa escuridão imprecisa e sem lâmpadas. Ficamos frustrados quando Deus "muda os móveis de lugar" dentro de nós. Dizemos aos jovens Samuéis: "Volte a dormir. Apenas continue fazendo as coisas como eu lhe ensinei, Samuel. Está tudo bem. Sempre foi assim".

Não, não foi sempre assim! E eu não estou feliz com o jeito que as coisas estão – *eu quero mais!* Não sei quanto a você, mas cada lugar vazio que vejo em uma igreja parece me dizer: "Eu poderia ser ocupado com algum ex-morador de Moabe! Você não pode colocar um corpo neste assento?". Isso alimenta a minha frustração santa, a minha insatisfação divina.

> *E estando também Samuel já deitado, antes que a Lâmpada de Deus se apagasse no templo do Senhor, onde estava a arca de Deus,*
> *o Senhor chamou a Samuel, e disse ele: Eis-me aqui.*
> 1 Samuel 3:3, 4

A lâmpada de Deus estava a ponto de se apagar, mas isso não parecia preocupar Eli (Ele já estava vivendo sob uma permanente penumbra). O jovem Samuel, porém, disse: "Estou ouvindo alguma coisa". É hora de admitirmos que a lâmpada de Deus tem brilhado de forma fraca. Sim, ela ainda está ardendo, mas as coisas não estão como deveriam estar. Olhamos para esta pequena lâmpada que lança uma luz fraca sobre a Igreja aqui e ali, e dizemos: "Oh, é o avivamento!" Talvez seja para o punhado de pessoas que podem se aproximar o suficiente para vê-lo, mas e quanto àqueles que estão à distância? E quanto aos perdidos que nunca leem as nossas revistas, assistem aos nossos programas de TV ou ouvem os últimos CDs com nossos ensinamentos? A luz da glória de Deus precisa brilhar forte o bastante para que seja vista à distância. Em outras palavras, é hora da glória de Deus, a lâmpada de Deus, ultrapassar os limites da Igreja para iluminar as nossas cidades![10]

Acredito que Deus está para liberar o "espírito dos que rompem" (ver Miquéias 2:13) – para vir e literalmente abrir os céus a fim de que todos possam comer e se alimentar à mesa de Deus. Antes que os céus possam se abrir, porém, "as fontes do grande abismo" precisam ser rompidas (Veja Gênesis 1:8; 7:11). É hora de alguma igreja, em algum lugar, se esquecer de tentar ser uma igreja "politicamente correta" e abrir os céus para que o maná possa cair e começar a alimentar os espiritualmente famintos da cidade! É hora de abrirmos os céus com a nossa fome desesperada, para que a glória de Deus possa começar a brilhar em nossa cidade. Mas não conseguimos fazer nem algumas gotas fluírem pelos corredores da igreja, quanto mais ver a Sua glória fluir pelas ruas, *porque não estamos realmente famintos.* Estamos como os crentes de Laodicéia, satisfeitos e contentes.

> *Pai, oro para que um espírito de impetuosidade espiritual tome posse dos nossos corações, para que a Tua vontade nos transforme em guerreiros da adoração. Oro para que não paremos até que rompamos os céus, até que haja uma rachadura nas regiões celestiais, até que os céus sejam abertos. Nossas cidades e nossa nação precisam de Ti, Senhor. Precisamos de Ti. Estamos cansados de procurar migalhas no tapete. Envia-nos o Teu pão quente dos Céus, envia-nos o maná da Tua presença...*

Não importa o que você precisa ou sente que falta em sua vida – o que você realmente precisa é de Deus. E a maneira de conseguir Deus é tendo fome. Oro para que Deus lhe dê um derramamento de *fome*, pois isto o qualificará para a promessa da plenitude. Jesus disse: "Bem-aventurados os que têm fome e sede de justiça, porque eles serão fartos" (Mt 5:6).

Se *pudermos ter fome, então Ele pode nos tornar santos.* Ele pode juntar novamente os pedaços de nossas vidas destruídas. Mas nossa fome é a chave. Então, quando perceber que está procurando migalhas no tapete na Casa do Pão, você deve orar: "Senhor, desencadeia uma tempestade de fome em mim".

Notas Finais

1. Belém de Judá é o nome completo da cidade, assim como Atlanta, Geórgia. Judá se refere à terra da tribo de Judá.
2. Ver 2 Coríntios 3:13; NVI.
3. Ver Rute 1:6.
4. Ver 1 Coríntios 14:25.
5. Ver 1 Samuel 28:7.
6. Ver Rute 4:17.
7. Ver Mateus 9:20-22.
8. Charles Dickens, "História de Duas Cidades", Livro I, Capítulo 1.
9. Quando digo "correr atrás de Deus", refiro-me a buscá-lO como nosso objetivo principal e nossa própria razão de existir – *depois da salvação*. Isto não implica dizer que somos salvos pelas nossas obras. A salvação é unicamente resultado da graça divina, através do sacrifício completo de Cristo Jesus na cruz e da Sua ressurreição dos mortos. Embora isto seja óbvio para a maioria dos leitores, achei que seria sábio incluir esta importante declaração para aqueles que possam vir a ter dúvidas... Para saber mais sobre o assunto, recomendo o livro de A. W. Tozer *The Pursuit of God*.
10. Ver Mateus 5:15.

Capítulo 3

Sei que Existe Mais

Redescobrindo a presença manifesta de Deus

Não sei quanto a você, mas há uma paixão ardente em meu coração que me diz que existe mais do que aquilo que já sei e mais do que já tenho. Isso me faz ter uma "inveja santa" de João, que escreveu o Apocalipse, e de todas aquelas pessoas que provaram ainda que um pouco do *sobrenatural,* que viram coisas com as quais eu apenas sonho. Sei que existe mais, e sei disso por causa daqueles que encontraram esse "algo mais" e que nunca foram os mesmos outra vez - os Caçadores de Deus! A minha oração é: *Quero Te ver como João Te viu!*

Em todas as minhas leituras e estudos da Bíblia, jamais encontrei qualquer pessoa nas Escrituras que realmente tenha tido um "encontro com Deus" e depois tenha se "desviado" e se rebelado contra Ele. Depois que você experimenta a Sua glória, não pode se afastar dEle ou esquecer o Seu toque. Isso não é apenas um argumento ou uma doutrina; é uma *experiência*. Foi por isso que o apóstolo Paulo disse: "... eu sei *em quem* tenho crido..." (2 Tm 1:12). Infelizmente, muitas pessoas na Igreja diriam: "Eu conheço *a respeito* de quem tenho crido". Isso significa que elas não O encontraram em Sua glória.

Um motivo que explica porque as pessoas saem aos montes pelas portas dos fundos das nossas igrejas tão rápido quanto entram pela porta da frente é o fato de terem muito mais um "encontro com o homem" e com os nossos programas do que um "encontro com

Deus" e com Sua inesquecível majestade e poder. Elas precisam ter experiências como a da estrada de Damasco, onde Saulo teve um encontro com o próprio Deus.[1]

Isto nos traz uma forte evidência da diferença entre a onipresença de Deus e a presença manifesta de Deus. A expressão "onipresença de Deus" se refere ao fato de que Ele está em todo lugar ao mesmo tempo. Ele é aquela "partícula" do núcleo atômico que os físicos nucleares não podem ver e que apenas conseguem rastrear. O Evangelho de João toca nesta qualidade de Deus quando diz: "E sem Ele nada do que foi feito se fez" (Jo 1:3b). Deus está em todo lugar e em tudo. Ele é a síntese de todas as coisas; é o vínculo que mantém o universo unido e a força que o sustenta! Isso explica por que as pessoas são capazes de se sentar em um bar totalmente embriagadas e, de repente, sentirem a convicção do Espírito Santo sem ouvir um pastor, uma música gospel ou qualquer outra influência cristã. Deus está literalmente bem ali no bar com elas, e a capacidade do álcool de entorpecer a mente e eliminar possíveis inibições também permite que elas percam suas inibições para com Deus. Infelizmente, nesse estado nem sempre é uma decisão pessoal que as direciona para Deus, mas simplesmente a fome em seus corações. A mente delas está entorpecida; mas seu coração está faminto. Quando a "mente" se recupera e descobre que não agiu de forma consciente, elas geralmente voltam atrás porque aquele não foi um encontro válido. Um homem com um coração faminto, uma mente orgulhosa e uma vontade que não foi quebrantada é a receita da infelicidade.

Ora, se Deus pode fazer isso num bar, por que nos surpreenderíamos com todas as outras coisas que Ele pode fazer "por conta própria"? (A maioria das pessoas que não possuem um histórico ou raízes na igreja lhe dirá que a primeira vez que sentiram o toque de Deus foi em algum outro lugar diferente de uma igreja ou de um ambiente religioso). Todos estes exemplos ilustram os efeitos da onipresença de Deus, a qualidade da Sua presença de estar em todo lugar, o tempo todo.

A Presença *Manifesta* de Deus

Muito embora Deus esteja em todo lugar o tempo todo, há momentos em que Ele *concentra* a própria essência do Seu ser no que muitos chamam de "a presença manifesta de Deus". Quando isto acontece, há uma forte sensação e consciência de que o próprio Deus "entrou no lugar". Poderíamos dizer que mesmo estando em todo lugar o tempo todo, há períodos específicos em que Ele está mais "aqui" do que "ali". Por motivos que não nos cabe julgar, Deus opta por Se concentrar ou Se revelar mais fortemente em um lugar do que em outro, ou mais vezes do que uma vez apenas.

Este conceito pode perturbar o seu conhecimento teológico. Você pode estar pensando: *Espere um instante. Deus está sempre aqui. Ele é onipresente*. Isto é verdade, mas por que então Ele disse "Se o meu povo, que se chama pelo meu Nome, se humilhar, e orar, e buscar a minha *face...*"? (ver 2 Crônicas 7:14). Se eles já são Seu povo, que outro nível "dEle" devem "buscar"? Buscar a Sua face! Por quê? Porque o *favor* de Deus flui para onde quer que a Sua face esteja direcionada. Você pode ser filho de Deus e não contar com o favor dEle, tanto quanto um filho carnal poderia ser desfavorecido mas não deserdado. Esta expressão no versículo é particularmente interessante. Deus disse ao Seu povo, abrangendo todas as gerações, que se eles buscassem a Sua face e "se convertessem dos seus maus caminhos", então Ele os ouviria e sararia a sua terra. Como podemos ser o povo de Deus e ter maus caminhos? Talvez os nossos "maus caminhos" expliquem por que temos nos contentado em apenas estar próximos de Deus em vez de contemplarmos a Sua face. A única coisa que vai mudar o foco e o favor de Deus em relação a nós é a nossa fome. Precisamos nos arrepender, buscar a Sua face e orar: "Deus, olha para nós, e esperaremos em Ti".

Guiados Pelos Olhos de Deus

Com muita frequência, o povo de Deus só consegue ser guiado pela Palavra escrita ou pela palavra profética. Mas a Bíblia diz que Ele quer que caminhemos para além disso, para um lugar marcado por um grau mais elevado de sensibilidade em relação a Ele e por uma maturidade mais profunda onde Ele "nos guia com os Seus olhos" (ver Salmo 32:8, 9). Quando era pequeno, bastava meus pais olharem para mim para que eu entendesse o que queriam. Se estivesse fazendo alguma estripulia, eles não precisavam dizer nada, apenas seu olhar era suficiente para me dar orientação que eu precisava.

Você ainda *precisa* ouvir uma voz de trovão saindo de trás do púlpito? Precisa de uma profecia dura para corrigir o seu comportamento? Ou você é capaz de ler a emoção de Deus em Sua face? Você é sensível o bastante para que os olhos de Deus possam guiá-lo e convençam o seu coração do pecado? Quando Ele olha em sua direção, você é rápido em dizer: "Ah, não posso fazer isso", "Não posso ir ali" e "Não posso dizer isso porque desagradaria a meu Pai"? O olhar de Deus convenceu Pedro e, ao som do canto de um galo, ele chorou de arrependimento.

Deus está em todo lugar, mas *Ele não volta o Seu rosto e o Seu favor para todo lugar.* É por isso que Ele nos diz para buscarmos a Sua face. Sim, Ele está presente com você todas as vezes que você se encontra com outros crentes em um culto de adoração, mas quanto tempo faz desde que a sua fome o levou a engatinhar até o Seu colo e, como uma criança, pegar o rosto do Pai e virá-lo para você? Intimidade com Ele! É isso o que Deus deseja, e a Sua face deve ser o nosso maior anseio.

Os israelitas se referiam à presença manifesta de Deus como a *shekinah* de Deus. Quando Davi começou a falar sobre trazer a arca da aliança de volta para Jerusalém, ele não estava interessado na caixa coberta de ouro com os artefatos dentro dela. Seu interesse era a chama azul que pairava entre as asas estendidas dos querubins em cima da arca. Era isso o que ele queria, pois havia alguma coisa na chama que significava que o próprio Deus estava presente. E onde quer que aquela glória ou presença manifesta de Deus fosse, haveria vitória, poder e bênção. Intimidade gerará "bênção", mas a busca da "bênção" nem sempre gerará intimidade.

Clamamos por uma restauração da presença manifesta de Deus. Quando Moisés foi exposto à glória de Deus, o reflexo daquela glória fez com que o seu rosto brilhasse tanto que ao descer da montanha, as pessoas disseram: "Moisés, você precisa cobrir o seu rosto. Não podemos suportar olhar para você" (ver Êxodo 34:29-35). Qualquer coisa ou pessoa que seja exposta à presença manifesta de Deus começa a absorver Sua essência. Você pode imaginar como era no Santo dos Santos? Quanto da glória de Deus havia sido absorvida pelas cortinas, pelo véu e pela própria arca?

Em Busca do Amado da Sua Alma

O Legado de Um Lugar Onde Deus Permanece

Quando Deus começa a visitar um lugar ou se manifestar entre um povo, coisas inusitadas começam a acontecer simplesmente porque Ele está ali. Se você não acredita em mim, pergunte a Jacó. Olhe particularmente para sua constante fuga dos problemas. A certa altura, Deus lhe disse para voltar para Betel, que significa "casa de Deus", e Jacó resumidamente disse aos membros de sua família: "Se tão somente pudermos voltar a Betel, construirei um altar para Deus e nós ficaremos bem" (ver Gênesis 35:1-3). Ele sabia que a presença de Deus permanecia em Betel.

É interessante ler o que aconteceu quando Jacó e sua família fizeram aquela viagem a Betel: "E partiram; e *o terror de Deus* foi sobre as cidades que estavam ao redor deles, e não seguiram após os filhos de Jacó" (Gn 35:5). A palavra hebraica para "terror" vem de uma raiz que significa "prostrar-se, e consequentemente perder o controle, seja por violência, ou por confusão e *medo*".[2] Se quisermos que o "temor do Senhor" retorne ao mundo, a Igreja precisa voltar para Betel, o lugar da Sua presença manifesta.

Tropeçando na Nuvem

A presença manifesta de Deus geralmente permanece sobre um lugar mesmo quando ninguém mais está por perto. Lembro-me do dia em que um auxiliar de uma igreja que havia sido invadida por Deus subiu ao púlpito para trocar a água do batistério; era um dia da semana, sem culto. Ele ficou por lá mesmo. Três horas depois, alguém percebeu a sua ausência e foram procurar por ele. A iluminação estava fraca no santuário, mas quando acenderam as luzes viram o homem deitado, prostrado sobre o púlpito onde havia caído depois de tropeçar na nuvem da Sua presença.

Algumas vezes a nuvem da presença de Deus aparece de repente quando o povo de Deus O adora. É assustador, porque parece que a névoa da glória de Deus começa a cristalizar-se diante dos nossos olhos. Não consigo entender como; estou apenas lhe dizendo que acontece.

Um dos pastores dessa igreja tinha um cunhado ateu. Na verdade, ele não era apenas ateu; era um "ateu evangelista". Aquele cunhado era o tipo de sujeito que todos queriam evitar nas reuniões de família porque ele sempre causava problemas e começava discussões acaloradas. Na época em que Deus estava visitando aquela igreja de forma tremenda, o tal cunhado ateu ligou para a esposa do pastor (que era sua irmã) e lhe disse: "Olhe, estou sem paradeiro. Você poderia me apanhar? Só quero passar alguns dias com você".

O pastor sabia que algo estava para acontecer porque ele nunca havia feito isso antes. Quando chegou, ficou óbvio que o cunhado ateu não sabia o que estava fazendo ali. Foi muito estranho. Ali estavam eles, dentro do carro voltavam do aeroporto, tentando conversar uns com os outros quando não tinham nada em comum. Falaram sobre o tempo e depois entraram num daqueles silêncios constrangedores. Quando passaram pela igreja, o pastor disse: "Ali está a igreja. Acabamos de reformá-la".

Como o cunhado nunca a vira e, imaginando que essa seria uma maneira de interromper aquele embaraçoso silêncio, o pastor disse: "Você não gostaria de entrar e dar uma olhada, não é?"

Para sua total surpresa, o cunhado ateu respondeu: "Sim, eu gostaria".

"Não Estou Pronto Para Isto!"

O pastor parou o carro no estacionamento da igreja e destrancou a porta do prédio. Seu cunhado estava logo atrás dele, e sua esposa era a terceira da fila. O pastor entrou e segurou a porta aberta para o cunhado, mas no instante em que o pé do homem tocou o chão do outro lado, ele caiu encurvado e, chorando, começou a clamar: "Meu Deus, ajude-me! Não estou pronto para isto. Não sei como fazer isto! O que vou fazer?" Então ele agarrou o pastor e pediu: "Diga-me como ser salvo *agora mesmo!*" Durante todo o tempo, ele se retorcia no chão e chorava incontrolavelmente. Então o pastor conduziu seu cunhado a Cristo ali mesmo, enquanto ele estava estendido com a metade do corpo para fora do prédio e a outra metade para dentro, e sua irmã pacientemente segurava a porta mantendo-a aberta! Seu irmão ateu teve um encontro com o "reflexo" da presença da glória de Deus que permanecia no templo.

Assim que ele recuperou um pouco da coerência, perguntaram-lhe: "O que aconteceu com você?" Ele disse: "Não sei como explicar. Tudo o que sei é que quando estava do lado de fora do prédio eu era ateu e não acreditava que Deus existe. Mas quando atravessei o limiar daquela porta, eu O encontrei e sabia que era Deus. Eu sabia que tinha de me consertar e me senti péssimo com relação à minha vida". E acrescentou: "Toda a minha força simplesmente foi tirada de mim".

O que poderia acontecer em uma cidade ou região se a força dessa "presença" se expandisse para além dos muros da igreja?

A Unção e a Glória

Quando a unção de Deus repousa sobre a carne humana, ela faz com que tudo flua melhor. Uma das imagens mais claras do propósito da unção está no livro de Ester. Quando Ester estava sendo preparada para ser apresentada ao rei da Pérsia, ela teve de passar por uma purificação que durou um ano. Durante o processo ela foi imersa seguidamente em óleo de unção aromático (coincidentemente, esse óleo utilizava praticamente os mesmos ingredientes do óleo de unção e do incenso de adoração dos hebreus). *Um ano de preparação para uma noite com o rei!* Uma consequência lógica de todos esses banhos com óleo perfumado é que *todo homem* que se aproximasse de Ester pensaria ou diria: "Nossa, como você está cheirosa!". Apesar disso, Ester não lhes daria atenção pelo mesmo motivo pelo qual você e eu jamais deveríamos nos distrair em busca da aprovação dos homens:

> *O propósito da unção não é fazer com que o homem*
> *goste de você, mas fazer com que o Rei goste de você*

É muito mais importante ter a aprovação do Rei do que a aprovação das pessoas. Davi foi ungido por Deus muito antes de ser coroado por pessoas. Ele buscava a aprovação de Deus acima da aprovação dos homens – ele era um caçador de Deus!

Muitas vezes desonramos a unção de Deus. Nós nos preparamos para Ele e mergulhamos na Sua preciosa unção aromática, mas depois saímos desfilando por aí para que o homem veja! Acabamos flertando quando estamos a caminho da câmara do Rei e nunca conseguimos chegar lá, seduzidos por outros amores menos importantes. Precisamos lembrar que o nosso Rei não receberá nada "sujo ou manchado". Somente os puros estão aptos a entrar na presença do Rei. Corrompemos a unção quando afirmamos: "Esta foi uma boa pregação!" ou "Aquela canção foi realmente boa!", e damos ao homem a glória e a atenção (ou buscamos a glória e a atenção do homem).

Buscamos agradar o homem (a carne). Até os nossos cultos são estruturados para agradar o homem. A unção realmente faz muitas coisas maravilhosas em nossas vidas, e ela quebra o jugo da opressão, mas tudo isso é apenas seu resultado. É como quando me perfumo para minha esposa. O resultado é que fico cheiroso para todos, mas o propósito do perfume era ela, e não os outros! O problema começa quando usamos a unção para impressionar a outros, desconsiderando o seu propósito primordial: encobrir o mau cheiro da nossa própria carne.

Quando Ester entrou na "casa das mulheres" do rei, ela recebeu óleos e sabonetes para a purificação e foi submetida a um processo de imersão destinado a transformar uma camponesa em uma princesa. Mais uma vez, o propósito real da unção não é fazer com que sejamos pessoas boas, tenhamos boa aparência ou um cheiro agradável para o homem. Isso é o resultado, mas a finalidade real da unção é nos conceder o favor do Rei. A nossa carne cheira mal às narinas de Deus e a unção nos torna aceitáveis ao Rei. Esse é o processo que Deus usa para transformar camponesas em princesas, ou seja, futuras noivas em potencial!

A unção pode nos fazer adorar ou pregar melhor, mas precisamos lembrar que – quer caia sobre nós individualmente ou sobre uma congregação durante um culto – a unção não é o fim, mas apenas o começo. Alguns seriam capazes de desonrar a unção "dançando por aí diante do véu" da presença de Deus, sem perceber que seu real propósito é prepará-los para *entrar*, para cruzar o véu em direção à Sua glória. A câmara do Rei, o Santo dos Santos, aguarda os ungidos. O óleo santo da unção foi literalmente esfregado e derramado sobre todas as coisas no Santo Lugar, inclusive *nas vestes do sacerdote*. Eles usaram "perfume em pó" para ungir a própria atmosfera!

> *Tomará também* [Arão e seus sucessores] *o incensário cheio de brasas de fogo do altar, de diante do Senhor, e os seus*

Em Busca do Amado da Sua Alma

> *punhos cheios de incenso aromático moído, e o levará para dentro do véu.*
>
> *E porá o incenso sobre o fogo perante* **o Senhor, e a nuvem do incenso cobrirá o propiciatório**, *que está sobre o testemunho,* **para que não morra**.
>
> Levítico 16:12, 13; inserção e ênfases do autor

De acordo com o Antigo Testamento, a última coisa que o sumo sacerdote fazia antes de entrar no Santo dos Santos era colocar um punhado de incenso (simbolizando a unção) em um incensário e enfiar as mãos e o incensário através do véu para fazer uma densa cortina de fumaça. Por quê? Para "... cobrir o propiciatório... para que não morra" (Lv 16:13b). O sacerdote precisava fazer fumaça suficiente para esconder a sua carne da presença de Deus.

A unção fala da ação do homem em atitude de adoração. Era a adoração ungida que enchia o Santo dos Santos de fumaça e tornava possível ao homem estar na presença de Deus e viver. Em outras épocas no Antigo Testamento, Deus saía do Santo dos Santos e fazia a sua própria nuvem de proteção para que a humanidade não O visse e assim viesse a perecer. Sob a velha aliança baseada no sangue de touros e bodes, o sacerdote tinha de produzir tanta fumaça para se cobrir que tudo o que ele fazia no Santo dos Santos era por tato, e não por vista. Andamos "por fé" e não por vista! *Deus, sei que estás aqui em algum lugar.*

Dançamos Diante do Véu e nos Recusamos a Entrar

A Palavra de Deus nos diz que o véu da separação foi rasgado em dois pela morte de Jesus Cristo no Calvário, e que temos livre acesso à Sua presença através do sangue de Cristo. Contudo, nós não vamos até Ele. Quando alguém, sem querer, atravessa o véu durante um momento de adoração, volta com um olhar de assombro, mas é só. Geralmente voltamos a adorar "diante do véu", sem entrar na Sua presença. Ficamos entusiasmados com a possibilidade, mas nunca realmente consumamos o processo. *O propósito da unção é nos ajudar a fazer a transição da carne para a glória.* Uma razão pela qual gostamos de permanecer na unção é porque ela faz com que a carne se sinta bem.

Por outro lado, quando a glória de Deus vem, a carne não se sente muito confortável.

Quando a glória de Deus vem, ficamos como o profeta Isaías. A nossa carne fica tão enfraquecida pela Sua presença que não podemos fazer nada além de contemplá-lO em Sua glória. Cheguei à conclusão de que, na Sua presença, sou um homem sem vocação. Não preciso pregar se Deus aparecer em glória.[3] As pessoas já estão convencidas da Sua santidade simplesmente pela Sua presença. Ao mesmo tempo, elas são convencidas de sua própria falta de santidade e da necessidade de se arrependerem e viverem uma vida santa diante dEle. Tornam-se conscientes de que Ele é digno de receber louvor e adoração, e são capturadas por um desejo ardente de mergulhar mais fundo e de levar outros à Sua presença!

Jacó orou e lutou por uma bênção, mas o que recebeu foi uma "transformação". Seu nome, seu andar e seu comportamento foram transformados. Estou convencido de que, para trazer transformação divina às nossas vidas, às vezes Deus coloca um pequeno lugar de "morte" em nossos corpos (como na juntura da coxa de Jacó).[4] Alguma coisa morre dentro de nós toda vez que somos confrontados pela Sua glória. É uma "ferramenta" para os santos. Assim como Isaías recebeu brasas quentes sobre seus lábios, recebemos o pão quente da Sua presença e somos transformados para sempre. Quanto mais da nossa carne morre, mais do nosso espírito vive. Os primeiros seis capítulos da profecia de Isaías são dedicados aos "ais". Ele diz: "Ai de mim, ai de ti, e ai de todos". Mas depois que vê o Senhor exaltado sobre um trono alto e sublime, ele começa a falar sobre coisas que só podem ser compreendidas no contexto do Novo Testamento.

Uma coisa *não mudou*: o processo de receber a "bênção" da coxa deslocada, ou a brasa ardente da glória de Deus sobre nossos lábios carnais, ainda não é algo que nos faz sentir bem. Ainda nos sentimos desconfortáveis quando dançamos diante do véu. Os sacerdotes do passado sabiam que a glória de Deus não era algo para se brincar. Eles amarravam uma corda ao redor do tornozelo do sumo sacerdote antes que ele passasse pelo véu, pois sabiam que se ele entrasse na presença de Deus com presunção ou com pecado, não sairia de lá

Em Busca do Amado da Sua Alma 59

andando. Teriam de arrastar o seu corpo sem vida de volta para a nossa realidade, fora do véu, e esperar que as coisas dessem certo da próxima vez. Como Igreja, precisamos encarar algumas dessas questões hoje, quando obedecemos ao chamado de Deus para passar da unção à Sua glória manifesta.

"Havia Demais de Deus"

Certas pessoas ao longo da história da Igreja conheceram a Sua glória. Smith Wigglesworth certamente era alguém que a conhecia. Em uma de suas biografias, conta-se a história de um pastor que começou a orar com ele, mostrando-se decidido a permanecer na sala até o final. Pouco tempo depois, o pastor acabou rastejando para fora da sala com as mãos e os joelhos no chão, dizendo: "Havia demais de Deus". Isso é possível. Você pode andar nesse lugar. Pergunte a Enoque. O resultado final dessa busca é que tudo o que permanece é a glória de Deus, não os dons, o ministério, as opiniões ou as capacidades do homem. Na presença manifesta de Deus, você e eu precisamos fazer muito pouco, mas coisas grandes e poderosas acontecerão. Por outro lado, quando você e eu fazemos "as coisas do nosso jeito", os resultados são poucos e não há muito da glória de Deus. Esta é a diferença.

Outra ilustração da diferença entre a unção e a glória é esta: quando esfrega os pés no tapete em um dia frio e toca a ponta do nariz de alguém, você fica aquecido. Mas você também "fica aquecido" se segurar um fio de alta voltagem de 220 watts com as mãos. Nos dois casos, a força por trás do calor é a eletricidade, e ambas operam a partir do mesmo princípio. Uma lhe dará apenas uma faísca, mas a outra tem o potencial para matá-lo instantaneamente ou para iluminar todo o seu mundo. Elas vêm da mesma fonte, mas diferem em poder, propósito e extensão.

Se permitirmos que Deus substitua nossos cultos pela Sua presença manifesta, sempre que as pessoas passarem pelos corredores da nossa igreja ou quando se encontrarem conosco no shopping, elas serão convencidas do pecado e poderão se apressar para se acertar com Deus sem que qualquer palavra seja dita (Trataremos disso com mais detalhes no Capítulo 8).

Ainda Não "Capturamos" Deus

Precisamos aprender a dar as boas-vindas à presença manifesta de Deus e mantê-la entre nós, para que apenas o reflexo da Sua presença leve os pecadores à convicção de pecados e conversão instantânea. Estou faminto por esse tipo de expressão de avivamento, mas se não tomarmos cuidado vamos deixar que a lâmpada se apague. Ainda não "capturamos" Deus porque não estamos casados com Ele ainda. Ele continua procurando uma noiva sem mancha ou ruga, e precisamos nos lembrar de que Ele já deixou uma noiva no altar, e poderá deixar outra.

Creio que Deus literalmente destruirá a Igreja *como a conhecemos* se tiver de fazer isso para alcançar as cidades. Ele não está apaixonado pelas nossas versões imperfeitas da Sua Igreja perfeita; Ele está pronto para reivindicar a casa que *Deus construiu*. Se a fétida monstruosidade que nossa humanidade criou ficar no caminho do que Deus quer fazer, Ele a colocará de lado para alcançar os famintos. O Seu coração é alcançar os perdidos, e se Ele não poupou o Seu próprio Filho para salvá-los, então não nos poupará também.

Precisamos entrar em acordo com o que Deus quer fazer. A mesma Bíblia que você e eu carregamos para o culto semana após semana diz: "Se nós não O louvarmos, as pedras clamarão".[5] Se a Igreja não louvá-lO nem obedecer-lhE, Ele levantará pessoas que o façam. Se nós não cantarmos a glória de Deus nas ruas das nossas cidades, Ele levantará uma geração que seja não-religiosa e desinibida e revelará a Sua glória a ela. O problema é que sofremos da doença espiritual fatal da relutância. Simplesmente não estamos famintos o bastante!

Somente o Arrependimento nos Levará a Algum Lugar

Deus não está voltando para pessoas que simplesmente estão em busca dos Seus benefícios. Ele está voltando para pessoas que buscam a Sua face. No Antigo Testamento, quando uma pessoa se recusava a lhe mostrar a face, estava deliberadamente se afastando de você. Normas de conduta antigas da Igreja sustentavam essa mesma prática. Podemos nos gabar das nossas realizações ou ignorar as nossas inadequações, mas não importa o que façamos, somente o arrependimento nos levará a algum lugar com Deus.

A única maneira pela qual Ele transformará a Sua visitação nos avivamentos em habitação eterna é se você e eu prepararmos um lugar para Ele com lágrimas e arrependimento, porque então Ele não terá mais que fingir que não vê a nossa ignorância. Ele literalmente fechará os olhos e não olhará para nós, para que o Seu olhar divino não nos destrua.

Deus está cansado de gritar instruções para a Igreja; Ele quer nos guiar com os Seus olhos. Isso significa que precisamos estar próximos dEle o bastante para vermos o Seu rosto. Ele está cansado de nos corrigir publicamente. Buscamos Suas mãos tempo demais. Queremos o que Ele pode fazer por nós; queremos as Suas bênçãos, queremos os arrepios e os calafrios, queremos os peixes e os pães. Mas recuamos diante do alto e necessário compromisso de buscarmos a Sua face.

Se você busca a face de Deus, o que você recebe é o Seu favor. Desfrutamos por muito tempo da onipresença de Deus, mas agora estamos experimentando breves momentos de visitação da Sua presença manifesta. Isto faz com que todos os cabelos se arrepiem, e faz com que as forças demoníacas fujam e corram.

Quando a unção vem, se você é um pregador, pregará melhor. Mas quando a glória desce, você não consegue fazer nada. Você tropeça e gagueja e apenas quer sair do caminho. Se você é um cantor, canta melhor quando é ungido. Mas quando a glória desce, você mal consegue cantar. Por quê? Porque Deus declarou que nenhuma carne se gloriará na Sua presença.[6] Isso não significa que você é uma pessoa má ou que vive em pecado. Significa que você é carne e sangue diante da presença de Deus. Isso nos lembra o que aconteceu na dedicação do templo de Salomão: o sacerdote e o ministro não conseguiam ministrar[7], mas não significa que foram impedidos de ministrar a bênção; creio que eles tinham caído sobre seus rostos de tanto medo!

"Eu Nunca O Ouvi Antes, Mas Tenho Certeza que Era Deus"

Quando a glória de Deus desce, as pessoas se descobrem fazendo coisas muito estranhas. Vi isto noite após noite durante reuniões em lugares onde havia um mover santo. Certa noite, uma senhora disse:

"Nunca estive nesta igreja. Para ser honesta, eu estava pretendendo deixar meu marido pela manhã. Mas esta noite, eu estava sentada na mesa de jantar quando Deus falou comigo. Eu nunca O ouvi antes, mas tenho certeza que era Deus. Ele me disse: 'Levante-se e vá àquela igreja agora mesmo – o prédio com o telhado verde'".

Ela foi à igreja (com o telhado verde) e conseguiu se sentar nos últimos bancos. Então caiu sobre seu rosto e chorou de arrependimento durante duas horas. Ninguém precisou lhe dizer o que fazer. Nem preciso dizer que o casamento dela foi salvo.

O Verdadeiro Avivamento acontece Quando...

Não entendemos o avivamento; na verdade, nem fazemos ideia do que seja o verdadeiro avivamento. Durante gerações, pensamos que avivamento era um cartaz do outro lado da rua ou na entrada de uma igreja. Achamos que avivamento significa um pregador eloquente, boa música e algumas pessoas que se decidem a fazer parte da igreja. Não! O verdadeiro avivamento acontece quando as pessoas estão comendo num restaurante ou andando pelo shopping e, de repente, começam a chorar, voltam-se para seus amigos e dizem: "Não sei o que está acontecendo comigo, mas sei que preciso acertar a minha vida com Deus".

O verdadeiro avivamento acontece quando a pessoa mais "difícil" e inatingível que você conhece tem um encontro com Jesus, contrariando todas as probabilidades. Francamente, o principal motivo pelo qual essas pessoas não são alcançadas em nenhum outro momento é porque estão vendo pouco de Deus e muito do homem. Tentamos enfiar nossas doutrinas pela garganta das pessoas e imprimimos folhetos suficientes para cobrir prédios inteiros. Agradeço a Deus por cada pessoa que foi alcançada por um folheto evangelístico, mas as pessoas não querem nossas doutrinas, folhetos ou nossos argumentos fracos; elas só querem Deus!

Quando vamos aprender que se as pessoas fizerem parte da igreja pelo convencimento, poderão da mesma forma deixá-la? Elas podem se sentir atraídas pela nossa música maravilhosa por algum tempo, mas isso as manterá interessadas apenas enquanto a música for boa. Não devemos competir com o mundo nas áreas em que ele é tão ou mais competente que nós. Mas o mundo não pode competir com a presença de Deus.

Posso lhe contar um segredo se você prometer *contá-lo* a alguém. Quer saber quando as pessoas começarão a invadir sua igreja? Elas virão quando ouvirem que a *presença de Deus* está lá. É hora de redescobrir o poder da presença manifesta de Deus.

Deus está procurando pessoas famintas o suficiente para receber a Sua presença. Quando Ele vier, você não precisará de anúncios no jornal, no rádio ou na televisão. Tudo o que você precisa é de Deus, e as pessoas virão de longe e de perto, em qualquer noite! Não estou falando de teoria ou ficção – isso já está acontecendo. Tudo começa com a oração dos famintos:

Sei que existe mais...

Notas Finais

1. Ver Atos 9.3-6.
2. James Strong, Strong's Exaustive Concordance of the Bible (Peabody, MA: Hendrickson Publishers, n,d,), terror (#H2847, #H2865).
3. Ver Hebreus 8:11; NVI.
4. Até hoje alguns judeus não comem a parte do animal que corresponde à junta da coxa. Ver Gênesis 32:32.
5. Ver Lucas 19:40.
6. Ver 1 Coríntios 1:29.
7. Ver 1 Reis 8.

Capítulo 4

Somente os Mortos Podem Ver a Sua Face

O caminho secreto para a presença de Deus

"Está aqui em algum lugar; sei que estou perto. Deve existir um caminho para chegar lá. E há! Este caminho, porém, não parece muito bom. Na verdade é difícil e doloroso. Vamos ver como o chamam... Arrependimento. Você tem certeza de que é este o caminho? Tem certeza de que é assim que posso atingir o meu objetivo de chegar à Sua face e à Sua presença? Vou perguntar a um companheiro de viagem. Moisés, o que você diz? Você passou por isso; me conte".

> *Então disse o Senhor a Moisés: Farei também isto, que tens dito; porquanto achaste graça aos meus olhos, e te conheço por nome. Então ele disse: Rogo-Te que **me mostres a tua glória**. E disse mais: Não poderás ver a minha face, porquanto **homem nenhum verá a minha face e viverá**.*
>
> Êxodo 33:17, 18, 20

Quando Moisés pediu a Deus que lhe mostrasse a Sua glória, o Senhor o advertiu de que nenhum homem poderia vê-lO e sobreviver. E essa verdade ainda vale para os nossos dias. Somente os mortos podem ver a Deus. Há uma ligação entre a Sua glória e a nossa morte.

Quando começou a insistir dizendo: "Eu quero, eu preciso", Moisés já tinha o projeto do tabernáculo. Ele era o homem que Deus escolhera para receber os detalhes arquitetônicos do modelo que representava a salvação e a restauração definitiva do homem à Sua presença. Tenho certeza de que Moisés olhou para aquele projeto e pensou: *Isto não é o plano original; é apenas um tipo de modelo do que Deus vai fazer. É apenas um tipo, uma sombra.* Acho que ele sabia que os móveis e utensílios do tabernáculo tinham um significado simbólico, por isso queria ver o produto final. Ele iniciou uma obra que era grande demais para ficar pronta em uma geração, então disse: "Mostra-me a Tua glória". Foi então que o Senhor respondeu: "Não é possível. Só os mortos podem ver a Minha face".

É por isso que gosto de ler sobre as orações visionárias de pessoas como Aimee Semple McPherson e William Seymour, que costumavam orar a noite inteira com a cabeça reclinada sobre um caixote de maçãs para que a glória de Deus descesse na Rua Azusa. Creio que quando as orações coletivas do povo de Deus se juntam e finalmente atingem um alto nível de poder, fome e intensidade, torna-se impossível para Deus demorar-Se mais. Nesse momento, Ele diz, enfim: "É isso aí. Não vou esperar mais. É chegada a hora!"

Foi o que aconteceu na Argentina, nos anos 50. Um homem chamado Edward Miller escreveu um livro intitulado *Cry For Me Argentina* (Chore por Mim, Argentina), onde descreve uma das origens do grande avivamento da Argentina que estava destinado a impactar a América do Sul e o mundo inteiro. Dr. Miller tem oitenta anos hoje, mas há mais de quatro décadas ele era um dos poucos missionários pentecostais trabalhando naquele país. Ele conta a história de como 50 estudantes de seu Instituto Bíblico começaram a orar e receberam uma visitação angelical. Eles tiveram de suspender as aulas por causa do pesado fardo de oração que sentiam pela nação Argentina. Dia após dia, durante 49 dias seguidos, aqueles estudantes oraram e intercederam pela Argentina naquela escola bíblica. O país era um deserto espiritual naquele tempo, segundo o Dr. Miller. Ele disse que só sabia da existência de 600 crentes cheios do Espírito Santo em toda a nação durante os anos do governo de Juan Perón. Ele me contou que nunca vira pessoas chorarem com tanta intensidade e por tanto tempo em oração. Aquilo só podia ter uma origem e um propósito sobrenaturais.

Em Busca do Amado da Sua Alma

Não sabemos muito sobre intercessão. Pensamos que significa repreender espíritos malignos, mas não é isto que precisa acontecer. Simplesmente precisamos que o "Pai" apareça.

Aquilo Só Podia Ser Descrito Como "Choro Sobrenatural"

Dr. Miller compartilhou que aqueles estudantes choraram e clamaram dia após dia. Ele contou que um jovem encostou a cabeça em uma parede de tijolos e chorou até que, depois de quatro horas, suas lágrimas deixaram um rastro na parede. Mais seis horas se passaram, e ele estava de pé numa poça formada por suas próprias lágrimas! Aqueles jovens intercessores choraram dia após dia, e ele disse que só podia descrever aquilo como um choro sobrenatural. Eles não estavam simplesmente se arrependendo de algo que haviam feito, mas estavam sendo movidos pelo Espírito ao chamado "arrependimento vicário", que acontece quando as pessoas começam a se arrepender pelos atos de outras pessoas de sua cidade ou país.

Depois de cinquenta dias de intercessão contínua e de choro diante do Senhor, veio sobre eles uma palavra profética que declarava: "Não chorem mais, pois o Leão da tribo de Judá prevaleceu sobre o príncipe da Argentina". Dezoito meses depois, os argentinos estavam lotando os cultos evangelísticos de cura em estádios de futebol que comportavam 180.000 pessoas sentadas; até mesmo os maiores estádios da nação não eram grandes o suficiente para conter as multidões.

Jamais me esquecerei do que o Dr. Miller me disse:

> "Se um número suficiente de pessoas puder se reunir em uma área para rejeitar o domínio de Satanás da forma correta – repudiando seu domínio com humildade, quebrantamento, intercessão e arrependimento –, então Deus exibirá uma ação de despejo para o poder demoníaco que governa aquela área. E quando Ele fizer isso, Sua luz e Sua glória virão sobre o lugar."

Oro para que os céus se abram sobre as nossas cidades e nações para que, quando a glória de Deus descer, as pessoas não consigam resistir mais porque a fortaleza dos poderes demoníacos será quebrada. Mas como isso acontece? Através da manifestação da glória de Deus.

68 *Os Caçadores de Deus*

Ah, que surjam os intercessores que fechem as portas do inferno e abram as janelas do céu!

Gostamos de Dançar em Volta das Sarças Ardentes

Um dos nossos problemas é que sempre que temos bons cultos ou sentimos que o avivamento chegou, temos a tendência de acampar naquele lugar e deixar de lado a nossa busca por Deus para podermos dançar em volta das sarças ardentes. Ficamos tão envolvidos com o que aconteceu na sarça que nunca voltamos ao Egito para libertar as pessoas!

Deus está dizendo à Sua Igreja que não basta ser abençoado. Não é suficiente receber os Seus dons e andar na Sua unção. Não quero mais bênçãos; quero o Abençoador. Não quero mais dons; quero o Doador. Não estou dizendo que não acredito em dons, ou que não quero as bênçãos de Deus, mas que às vezes, em nosso frenesi emocional por vermos algo do "outro mundo" visitar este mundo por um breve momento, ficamos impactados e nos desviamos do nosso divino propósito. Não fique apenas entusiasmado com os presentes de Deus; *Ele quer que você fique entusiasmado com Ele.*

Por causa do meu ministério preciso viajar com muita frequência, e quando volto para casa, para minha família, não me empolgo muito quando sou bombardeado com as perguntas de meus filhos: "O que você trouxe para mim, papai? Tem alguma coisa aí para mim?" Entendo que isto seja normal em crianças pequenas, mas o que realmente quero, o que sonho quase todos os dias em que estou fora, é com o momento em que meu filho de seis anos sobe em meu colo e me "ama" sem pensar no brinquedo que escondi em minha mala. Creio que é disto que meus filhos se lembrarão daqui a muitos anos, décadas depois que os brinquedos e bugigangas tiverem desaparecido em um lixo qualquer. O Deus Pai deseja a mesma coisa. Caçadores de Deus querem Deus! As "coisas de Deus" não satisfarão alguém que é "segundo o Seu coração" (ver Atos 13:22).

Na maioria das vezes em que somos visitados por Deus, nossos olhos estão fixos na coisa errada. Queremos os Seus "brinquedos" espirituais.[1] Dizemos a Ele: "Toca-me, abençoa-me, Pai", e damos um jeito de transformar as nossas igrejas em "clubes da bênção". Em nenhum lugar da Bíblia o altar é "o lugar da bênção". Um altar existe

Em Busca do Amado da Sua Alma   69

somente para uma coisa: pergunte ao cordeirinho que foi trazido ao altar... Ali não é o lugar da bênção; é um lugar de morte. Mas se pudermos abraçar essa morte, então talvez possamos ver a face de Deus.

Por que Você Está Falando Tanto Sobre Morte?

Estou falando sobre o *equivalente à morte no Novo Testamento*, que é o arrependimento, o quebrantamento e a humildade diante do Senhor. Muitas vezes respeitamos a Palavra do Senhor apenas de lábios. Dizemos que ela é a verdade, mas *agimos* como se não fosse. E se Deus estava falando sério quando disse o que disse? E se for verdade que somente os mortos podem ver a Sua face?

Nós nos satisfazemos muito facilmente com coisas que não são bem aquilo que deveriam ser. Estou insistindo nesse ponto porque a Igreja está correndo um sério risco de mais uma vez parar na "sarça ardente" desta maravilhosa visitação da presença de Deus. Há um propósito maior por trás das reuniões que estão acontecendo em todo o mundo (e não é apenas nos abençoar). Deus quer rasgar os céus sobre as nossas cidades para que as pessoas que vivem fora da Sua presença saibam que Ele é Senhor e que as ama. Precisamos tirar os nossos olhos dos "brinquedos" e colocá-los no propósito...

Como Moisés, precisamos clamar: "Não, obrigado, Senhor; isto não é o bastante. Queremos mais, precisamos ver mais, queremos ver a Tua glória. *Não queremos ver apenas onde Tu estiveste; queremos ver para onde Tu estás indo!*"

É aí que precisamos ficar, clamando para que Deus nos mostre onde Ele vai rasgar os céus sobre as nossas cidades. É isto o que estou procurando. Simplesmente quero descobrir para onde Ele está indo, para que eu possa me posicionar no lugar onde Ele vai se manifestar. Há um elemento de soberania na escolha de Deus quanto aos lugares. *Ninguém na terra acende o fósforo que incendeia as sarças ardentes.* Somente Deus pode fazer isso. A nossa parte consiste em perambular pelo deserto até encontrarmos aquele lugar, e depois nos lembrarmos de tirar os nossos sapatos porque nos estamos em uma terra santa.

Quase Posso Sentir a Fragrância...

Às vezes visito lugares onde quase posso sentir a fragrância de folhas chamuscadas que não se consomem. Isso me faz sentir que estamos próximos daquele lugar onde Deus vai nos dar uma visão do propósito maior que há por trás de tudo isso.

A maior parte do que vimos até agora é a *renovação* da Igreja. Estou achando que *avivamento* não é a melhor palavra para o que estamos vendo, porque ela se refere a algo morto que está sendo trazido de volta à vida. Não conheço nenhuma palavra para descrever o que Deus está para fazer. Como você descreveria um "tsunami"? Como descreveria um maremoto? Como falaria sobre o que Deus pode realizar com sua incomparável graça e força?

Sonho com o modelo bíblico que Deus nos deu com Seu agir na cidade de Nínive. Quero ver uma onda de Deus varrendo uma cidade, empurrando para fora toda a arrogância do homem e não deixando nada além de um rastro de arrependimento e quebrantamento. Estou faminto por um avivamento como o descrito no livro de Jonas, onde o arrependimento e o jejum alcançaram toda uma cidade.

Esse tipo de avivamento deveria ter ocorrido em Nazaré, mas não aconteceu. Nazaré teria sido o melhor lugar porque aquela cidade tinha o maior pregador que já viveu. Jesus levantou-se na sinagoga de Nazaré e disse: "O Espírito do Senhor está sobre Mim". Então Ele leu uma lista detalhada do que queria fazer – curar os enfermos, abrir os olhos cegos, libertar os prisioneiros – mas Ele não pôde fazer nada disso por causa da incredulidade das pessoas do lugar. Precisamos prestar atenção nesta triste história porque Nazaré era o "cenário bíblico" dos dias de Jesus. Era o lugar onde as coisas deveriam ter acontecido. Não se deixe levar pela aparência externa de um lugar ou de um povo.

Não me importa como uma coisa ou uma pessoa se parece; somente Deus sabe quais são os Seus planos para o futuro. Muitos cristãos consideraram as principais cidades metropolitanas, como Los Angeles, Nova Iorque, Detroit, Chicago ou Houston, como casos perdidos. Los Angeles pode ser o lar de milhares de casas pornográficas e da indústria do cinema de Hollywood, mas Nínive era um lugar ainda mais improvável para o avivamento naqueles dias! Sem falar em Xangai, Nova Déli, Calcutá, Rio de Janeiro... e a lista só aumenta! Mas se alguém conseguir acender a luz, a glória de Deus inundará essas cidades. E isto é necessário, porque Ele disse que "a glória de Deus encherá toda a terra"! (Ver Números 14:21.)

Sou Um Morto Ambulante

Somente os mortos veem a face de Deus. Então, quando você passar por aquele véu, precisa dizer: "Realmente não estou mais vivo. Sou um morto ambulante". Quando um condenado à morte inicia sua caminhada final em direção à sala de execução, o carcereiro ou um dos chefes da guarda costuma gritar: "*Homem morto andando*". Isto é para que todos saibam que um homem está nos seus últimos instantes de vida nesta terra, e que eles devem ficar imóveis em sinal de respeito. O homem está vivo, mas somente por alguns instantes. Quando chegar à sala de execução, tudo estará terminado. É assim que um cristão vive, como diz Romanos 12:1: *homem morto andando.*

O sumo sacerdote do passado sabia que era um "homem morto andando" assim que os outros sacerdotes amarravam uma corda ao redor do seu tornozelo enquanto ele olhava para o pesado véu que o separava do Santo dos Santos. A única maneira de sair vivo daquele aposento era pela misericórdia e graça de Deus. Hoje em dia, não entendemos a delicada questão de nos aproximarmos da glória de Deus. Dizemos que a glória está aqui e ali, quando não está. Falamos da *unção*, e embora haja certa medida da luz de Deus, não há plenitude. Se a glória de Deus se mostrasse em toda a sua plenitude, estaríamos mortos. Se as montanhas se derretem diante da Sua presença manifesta; imagine a nossa carne![2]

Fracassamos em compreender a glória de Deus (talvez sejamos incapazes de entendê-la). O apóstolo Paulo disse: "Para que nenhuma carne se glorie perante Ele" (1 Co 1:29). Se houver alguma carne quando a glória de Deus descer, ela deverá estar *morta*, porque nada pode sobreviver a Sua presença. Só poderemos permanecer de pé na Sua presença se estivermos "mortos", pois somente os mortos podem ver a Sua face.

"Não Sei Se Voltarei"

Uma vez por ano o sumo sacerdote de Israel deixava seu lar com o coração pesaroso e dizia à sua família: "Não sei se voltarei. Não tenho certeza, mas creio que fiz tudo que devia fazer. Minha estola sacerdotal está direita?" Os judeus eram tão cautelosos quando a evitar a contaminação que não era nem mesmo permitido ao sumo sacerdote dormir na noite que antecedia a sua entrada além do véu! Os outros sacerdotes o mantinham acordado a noite inteira lendo a lei para ele, a fim de impedir que se contaminasse acidentalmente através de algum sonho.

Quando chegava a hora da verdade, o sumo sacerdote mergulhava com cuidado seu dedo no sangue quente do bode do sacrifício e o passava nos lóbulos de suas orelhas. Ele aplicava mais sangue em cada um de seus polegares das mãos e dos pés. Por quê? Simbolicamente, ele estava assumindo a aparência de alguém que está *morto* para que pudesse se aproximar da glória de Deus e, ainda assim, viver. Quando o sangue da morte era aplicado na cabeça e nos pés, o sacerdote respirava fundo e dava uma última olhada nas coisas terrenas, verificava a corda em volta do seu tornozelo e segurava o incensário cheio de brasas ardentes. Ele pegava um punhado de incenso sagrado e o lançava em cima das brasas, o que criava uma densa nuvem de doce aroma. O sacerdote introduzia esse incensário através do véu e o balançava para frente e para trás até que a fumaça enchesse completamente o Santo dos Santos. Então ele levantava suavemente a orla inferior do pesado véu e rastejava para o Lugar Santíssimo cheio de temor e tremor, esperando desesperadamente voltar com vida. *Os joelhos são melhores do que os pés para se entrar no Santo dos Santos.*

Os Sacerdotes da Linhagem de Arão Sabiam Algo que Nós Não Sabemos

A cobertura de fumaça era o sistema à prova de falhas e o último recurso do sacerdote para proteger a sua carne vivente da santidade consumidora do Deus Todo-Poderoso. Os sacerdotes da linhagem de Arão sabiam algo a respeito de Deus que precisamos redescobrir hoje. Eles sabiam que Deus é santo e a humanidade não. Eles sabiam que a carne vivente morreria instantaneamente se tivesse um encontro com a glória de Deus descoberta e revelada. Então, quando passavam para além daquele véu, tinha de haver fumaça suficiente naquele aposento para esconder tudo – embora eles tivessem seguido todas as exigências, aplicado o sangue corretamente e ficado alerta a noite toda lendo as Escrituras. Eles sabiam que a cobertura de fumaça estava densa o bastante quando também *não conseguiam* ver nada. O sacerdote precisava cumprir todas as suas obrigações, inclusive aspergir o sangue sobre o altar – somente pelo tato. A cobertura de fumaça era um sinal encorajador de que ele tinha uma boa chance de ver novamente a luz do dia (Ver Levítico 16.)

Acredito que a nuvem de incenso não estava ali apenas para impedir que o homem visse a glória de Deus, mas também para impedir que Deus visse o homem. Há uma passagem nas Escrituras que diz: "E, havendo aberto o sétimo selo, fez-se silêncio no céu quase por meia hora" (Ap 8:1).

Por que os anjos celestiais permaneceriam em silêncio por 30 minutos? O capítulo anterior a essa passagem narra o aparecimento dos santos vestidos com vestimentas brancas diante do próprio Deus. Virá o dia em que os nossos corpos mortais se revestirão de imortalidade, quando esta corrupção se revestirá de incorruptibilidade. Mas, até então, o resíduo da carne ainda estará lá. Creio que quando atravessarmos os portões de pérola, os anjos ficarão num silêncio perturbador durante 30 minutos, como se dissessem: "Os redimidos estão ali, bem diante dAquele que é Santo". É algo inimaginável para eles que a carne possa se apresentar diante da glória de Deus, mas ela pode – se tiver sido transformada através do processo da morte e da ressurreição de Jesus e através do Seu sangue derramado. Só os mortos podem contemplar a face de Deus.

A Sua Misericórdia O Mantém Longe de Nós

É a *misericórdia* de Deus que O mantém longe de nós. Geração após geração, os cristãos oram dizendo: "Deus, aproxima-Te, Deus aproxima-Te". Acredito que Ele tem nos respondido desde o princípio, mas com uma resposta ambígua. Com uma mão, Ele acena para nós, convidando: "Venha, chame-Me para mais perto e Eu virei porque quero Me aproximar". Ao mesmo tempo, porém, Ele levanta a Sua outra mão em advertência enquanto diz: "Tome cuidado ao chegar mais perto, tenha certeza de que tudo está morto. Se você realmente quer Me conhecer, então tudo precisa morrer".

Por que Deus assistia às mortes? O que havia no aroma do sacrifício que era tão convidativo a ponto de fazer com que Ele literalmente deixasse o céu? Há algo a respeito da morte que é convidativo para Deus. Talvez você não entenda, mas a morte tem estado presente em todos os avivamentos da história da Igreja! A morte estava presente naquelas primeiras reuniões da Rua Azusa. A morte estava presente no Primeiro e no Segundo Grandes Despertamentos. O pioneiro pentecostal Frank Bartleman, do avivamento de Azusa, disse: "A profundidade do seu arrependimento determinará a altura do seu avivamento".

Quanto Mais Deus Sente o Cheiro da Morte, Mais Ele Pode Se aproximar

É como se o cheiro daquele sacrifício fosse um sinal de que Deus podia se aproximar do Seu povo por um instante sem os fulminar por causa do pecado deles. Seu objetivo final sempre foi a união e a íntima comunhão com a humanidade, a Sua criação máxima; mas o pecado transformou isso num caso de amor fatal. Deus não pode se aproximar da carne vivente porque ela cheira ao mundo. É preciso que ela seja carne morta para que Ele possa se aproximar. Então, quando suplicamos para que Deus se aproxime, Ele o fará, mas dirá: "Na verdade não posso Me aproximar mais porque, se Eu o fizer, a sua carne será destruída. Quero que entenda que se você for em frente e morrer, então Eu poderei me aproximar".

É por isso que arrependimento e quebrantamento – equivalentes à morte no Novo Testamento – trazem a presença manifesta de Deus para tão perto. Mas queremos evitar o arrependimento porque não gostamos do cheiro da morte. Qualquer pessoa que já sentiu o odor desagradável de pelos e pele queimando concordará que eles não cheiram bem. Este aroma não é atraente para os sentidos da humanidade, mas é muito atraente para Deus porque é um sinal de que Ele pode novamente se aproximar daqueles a quem ama.

Esqueça o Entretenimento

As coisas de que Deus gosta e as coisas de que nós gostamos quase sempre são duas coisas diferentes. O Senhor me disse, certa vez, enquanto eu ministrava: "Filho, os cultos de que gosto e os cultos de que você gosta não são os mesmos". Comecei a perceber que geralmente costumamos preparar os nossos cultos para serem eventos que agradam aos homens. Nós os programamos para estimular os

Em Busca do Amado da Sua Alma 75

ouvidos inquietos, e queremos que eles tenham um "alto nível de entretenimento". Infelizmente, esse tipo de reunião tem muito pouco do nosso amor sacrificial por Ele, que é o único que merece o nosso louvor e adoração.

Deus preferiria ter momentos com aqueles poucos que realmente O amam, do que contar com a presença de todos em uma reunião de entretenimento. Damos uma festa para Deus onde trocamos presentes uns com os outros, enquanto O ignoramos totalmente! Existe algo a respeito da *morte do eu* que é especial. Não é muito agradável para nós, mas certamente agrada a Deus.

Se você abriu este livro esperando ter arrepios do Espírito Santo subindo e descendo pela sua espinha, deve estar decepcionado. Mas se abriu estas páginas sabendo no seu coração que a Igreja precisa de uma revolução na sua forma de adorar e se comportar, então você não se decepcionará. A última vez que li o Salmo 103:1, ele dizia: "Bendize, ó minha alma, ao Senhor". Ele não dizia: "Ó meu Senhor, abençoa a *minha* alma". Deus está cansado de simplesmente colocar a mão no bolso e nos dar as Suas bênçãos. Ele quer que desfrutemos da comunhão da Sua face, mas somente os mortos podem se aproximar o suficiente para contemplá-lO.

Deus Não Ousa Se Aproximar Mais...

A maioria de nós está satisfeito em preservar um pouco de sua vida decadente ou de suas ambições carnais enquanto se agarra levemente às orlas das vestes da salvação de Deus. Queremos preservar um pouquinho dos nossos desejos humanos, e para isso estamos dispostos a viver das esmolas que Deus nos dá quando estende a Sua mão por detrás do véu. Permanecemos longe de saciar nossa fome espiritual, e Deus não ousa Se aproximar mais, porque isso mataria essa carne que tanto valorizamos. A escolha é nossa.

Deus está procurando alguém que esteja disposto a amarrar uma corda em volta do tornozelo e dizer: "Se perecer, pereci; mas vou ver o Rei. Quero fazer tudo o que posso para atravessar aquele véu. Vou colocar o sangue, vou me arrepender, vou fazer tudo o que posso porque estou cansado de conhecer coisas *sobre* Ele. *Quero conhecê-lO. Preciso ver a Sua face*".

Não importa quem você é, o que você fez ou que tradição religiosa segue; a única maneira pela qual vai passar por aquele véu é através da morte da sua carne. A morte do arrependimento e do quebrantamento genuíno diante de Deus permitirá que Ele se aproxime de você. O apóstolo Paulo disse: "Porque agora vemos por espelho em enigma, mas então veremos *face a face*; agora conheço em parte, mas então conhecerei como também sou conhecido" (1 Co 13:12). Naquele momento conheceremos Deus em toda Sua plenitude, assim como Ele nos conhece em toda a plenitude de quem somos.

O apóstolo João foi exilado na ilha de Patmos por causa da sua fé em Cristo, mas estou convencido de que houve uma razão mais profunda para isso. Foi somente depois que João se tornou um morto ambulante abandonado em uma ilha deserta para morrer que ele ouviu uma voz e se voltou para contemplar a face do Deus Filho, Jesus Cristo.

Achamos que conhecemos Deus e que temos sido parte da sua Igreja. Mas precisamos olhar mais de perto para João. Esse era o apóstolo que reclinava a cabeça no peito de Jesus. Ele era o discípulo mais chegado. João observou Jesus despertar de um profundo sono para acalmar a tempestade no Mar da Galiléia. Ele viu Jesus literalmente interromper a procissão de um funeral para tocar o corpo de um menino morto, levantá-lo dos mortos, e devolvê-lo à sua mãe. E esse mesmo apóstolo O *viu* em Sua glória revelada pela primeira vez, na ilha de Patmos. Ele disse que os cabelos do Senhor eram brancos como a neve, Seus olhos brilhavam como fogo e Seus pés eram como bronze polido. As Escrituras dizem que João caiu aos pés do Senhor como se estivesse morto (ver Apocalipse 1:17). Por que João faria isso se já conhecia Jesus há três anos? Ao ver Jesus, João experimentou a morte porque havia visto a vida. É preciso morrer para realmente vê-lO, e tudo que posso dizer é: "Este é um bom dia para se morrer". Quanto mais eu morro, mais Ele se aproxima.

João Batista também conhecia este segredo. Jesus disse: "... Entre os que de mulher têm nascido, não apareceu alguém maior do que João o Batista" (Mt 11:11a). Por quê? João teve a graça para entender o princípio pouco conhecido sobre o qual todo verdadeiro ministério, culto e adoração estão firmados:

Em Busca do Amado da Sua Alma

77

Que Ele cresça, e que eu diminua

João 3:30

Se eu diminuir, então Ele pode crescer. Menos de mim significa mais Dele. João Batista foi sábio o bastante para reconhecer o verdadeiro Doador de todos os dons e habilidades. Ele disse: "O homem não pode receber coisa alguma, se não lhe for dada do céu" (Jo 3:27b). Basicamente, se houver menos de mim, então haverá espaço para que haja mais Dele. Quanto mais de mim morrer, mais Ele poderá Se aproximar. Até onde isto pode ir? Bem, não sei, mas posso lhe dar o nome de alguém a quem você pode perguntar: Enoque. Ele nos mostrou que é possível literalmente andar com Deus, mas que você "morrerá" ao longo do caminho.

A Bíblia diz: "E eles o venceram pelo sangue do Cordeiro, e pela palavra do seu testemunho; e não amaram as suas vidas até à morte" (Ap 12:11). Você está evitando a morte? Você quer as bênçãos de Deus sobre a sua vida? A maior bênção não vem da mão de Deus; ela vem da Sua face em um relacionamento íntimo. Quando você finalmente O vê e O conhece, chegou à fonte de todo poder.

Esta Não Será uma Bênção Barata

É verdade que toda carne precisa morrer na presença da Sua glória, mas também é verdade que tudo que é do Espírito *vive para sempre* na Sua glória. A parte eterna do seu ser que realmente quer viver pode viver para sempre, mas primeiro a sua carne precisa morrer; ela o separa da glória de Deus. Você provavelmente está preso em uma luta entre a carne e o espírito ao ler estas palavras, mas é hora de simplesmente ir em frente e dizer a Ele: "Senhor, quero ver a Tua glória". O Deus de Moisés está disposto a Se revelar a você, mas esta não será uma bênção barata. Você precisar se deitar e morrer. Ele só pode Se aproximar se você estiver disposto a morrer.

Você precisa se esquecer de quem está à sua volta e "quebrar o protocolo". Deus está interessado em redefinir o que chamamos de "igreja", e está procurando pessoas que estejam ardendo de amor em busca do Seu coração. Ele quer uma igreja de Davis que sejam segundo o Seu coração[3] (e não que estejam apenas em busca das Suas mãos). Você pode buscar a Sua bênção e "brinquedos", ou pode dizer: "Não, Papai, eu não quero apenas as bênçãos; eu quero a Ti. Eu quero que Tu te aproximes. Eu quero que toques em meus olhos, em meu coração, em meus ouvidos, e que me transformes, Senhor. Estou cansado de ser como sou, porque se eu puder mudar, *então as cidades também podem mudar"*.

Precisamos orar por uma mudança, um quebrantamento, mas não podemos fazer isso até que nós mesmos estejamos quebrantados. A mudança virá para os quebrantados, que não estão correndo atrás da sua própria ambição, mas dos propósitos de Deus. Precisamos chorar sobre a nossa cidade assim como Jesus chorou sobre Jerusalém. Precisamos de uma mudança da parte do Senhor.

Não resista ao Espírito Santo quando a mão de Deus tentar moldar o seu coração. O Oleiro da sua alma está simplesmente tentando "amaciar" você. Ele quer levá-lo a um lugar de ternura onde não seja necessária a força de um furacão do céu para que você saiba que Ele está presente. Ele quer que você seja tão sensível que a brisa mais da Sua presença inflame o seu coração com danças, e você diga: "É Ele!"

Queremos Vida, Mas Deus Está Procurando Morte

Precisamos nos arrepender dos cultos que agradam aos homens, e fazer aquilo que agrada a Deus. Como a maioria dos homens e mulheres, quisemos ter "vida" em nossos cultos, quando Deus estava à procura de "morte"! É a "morte" através do arrependimento e do quebrantamento que atrai a presença de Deus e faz com que você se aproxime do Senhor, e ainda assim *viva*.

Algumas pessoas ficam muito desconfortáveis com este assunto porque as coisas começam a cheirar a fumaça. Elas podem sentir o cheio da carne queimando. Talvez o cheiro não seja bom para nós, mas Deus é atraído pelo arrependimento. A Bíblia diz: "Quando um pecador se arrepende, os anjos se regozijam" (ver Lucas 15:10). A morte e o arrependimento na terra produzem alegria nos céus.

O avivamento precisa começar na sua igreja, antes que possa alcançar a sua comunidade. Se você tem fome de avivamento, tenho uma palavra do Senhor para você: *O fogo não cai sobre altares vazios*. É preciso que haja um sacrifício sobre o altar para que o fogo caia. Se você quer o fogo de Deus, precisa se tornar o combustível de Deus. Jesus Se sacrificou para ganhar a nossa salvação, mas chamou

Em Busca do Amado da Sua Alma 79

cada pessoa a fazer o mesmo: entregar a sua vida, *tomar a sua cruz* e segui-lo.[4] Antes de pedir que o fogo de Deus caísse sobre o altar, Elias colocou sobre ele um sacrifício digno. Temos orado para que o fogo caia, mas não há nada sobre o altar!

Se você anseia ver o fogo caindo em sua igreja, precisa apenas aproximar-se do altar e dizer: "Deus, custe o que custar, eu me deito no altar e peço que Tu venhas me consumir com o Teu fogo". Então poderemos seguir os passos de John Wesley, que explicou como conduziu multidões durante o Primeiro Grande Despertar:

"Eu me deixo incendiar, e as pessoas vêm para me ver queimar".

Notas Finais

1. Estou usando o termo *brinquedos* para descrever a *nossa* atitude para com os dons de Deus. Não estou tentando rebaixar ou menosprezar o propósito e o valor genuíno dessas transferências sobrenaturais da parte de Deus. Deus não nos deu dons preciosos como o dom da profecia, o dom da palavra de conhecimento, ou do dom de cura, para que os usássemos para impressionar a carne ou para influenciar pessoas. Eles foram dados com a finalidade de edificar e equipar o Corpo de Cristo para a obra do ministério.
2. Ver Juízes 5:5; Naum 1:5.
3. Ver Atos 13:22
4. Ver Lucas 9:23
5. James Strong, Strong's Exaustive Concordance of the Bible (Peabody, MA: Hendrickson Publishers, n.d.), cross (#GA716).

Capítulo 5

Vamos Fugir ou Entrar?

Uma oportunidade para encontrar Aquele que você sempre soube que estava ali

Sempre que vejo pessoas bebendo e agindo como verdadeiros ímpios, em festas ou bares, *não consigo fazer outra coisa senão gostar deles*! Eles não fazem qualquer tipo de jogo religioso. Eles sabem quem são e o que são (Os que me irritam são aqueles que fingem ser uma coisa que não são!). Quase todas as vezes que passo por um bar ou boate, esses pensamentos malucos me vêm à mente: *Senhor, por que não aqui? Por que simplesmente não Te manifestas aqui?*

A minha definição de avivamento é quando a glória de Deus ultrapassa as quatro paredes da igreja e flui através das ruas da cidade. Um avivamento de proporções históricas nos tempos modernos seria quando Deus invadir os Shoppings sexta-feira à noite. Quero ver todas as associações de Shoppings serem obrigadas a contratar capelães em tempo integral apenas para atenderem a multidão de pessoas que começarem a chorar pela convicção de seus pecados quando passarem pela cidade (Seguranças sabem o que fazer com ladrões de shopping, mas será que saberiam o que fazer com as pessoas que viessem até eles angustiadas por terem sido convencidas do seu pecado?) Que esse dia chegue depressa!

Creio que Deus está suscitando uma necessidade tão forte da Sua presença que no "dia do Senhor" (se o Seu povo O buscar), as igrejas não darão conta da explosão de almas perdidas querendo ser salvas. A Igreja moderna é uma organização assistencial, ou de manutenção, na melhor das hipóteses, e um museu do que já foi um dia, na pior das hipóteses. O nosso maior problema é que "enchemos as nossas prateleiras" com as coisas erradas. Oferecemos aos famintos prateleiras empoeiradas de rituais religiosos insípidos produzidos pelo homem – e ninguém em sã consciência está faminto por isso! Nosso ritual religioso vazio não tem gosto de nada. Mas se oferecêssemos apenas Jesus, as massas famintas viriam. Talvez esse "produto" não esteja em nossos cultos porque já vimos que não é barato.

A Igreja de hoje chegou à metade do caminho em sua jornada pelo deserto. Estamos acampados aos pés do Monte Sinai, assim como os filhos de Israel no Livro de Êxodo. É óbvio que chegamos ao ponto onde precisamos tomar uma decisão. Vamos entrar ou fugir?

> *E subiu Moisés a Deus, e o Senhor o chamou do monte, dizendo: Assim falarás à casa de Jacó, e anunciarás aos filhos de Israel: Vós tendes visto o que fiz aos egípcios, como vos levei sobre asas de águias, e vos trouxe a Mim; agora, pois, se diligentemente ouvirdes a Minha voz e guardardes a Minha aliança, então sereis a Minha propriedade peculiar dentre todos os povos, porque toda a terra é Minha. E vós Me sereis um reino sacerdotal e o povo santo. Estas são as palavras que falarás aos filhos de Israel.*

Êxodo 19:3-6

Isto é a linguagem do Novo Testamento nas páginas do Antigo Testamento! Foi dada a eles a opção óbvia de saltarem para um novo nível de intimidade.[1]

Chegamos à Montanha da Decisão

Podemos nos contentar com sarças ardentes e nos alegrar com os nossos primeiros encontros com o Deus sobrenatural. Podemos ficar satisfeitos com as tábuas de revelação e sabedoria gravadas por Deus e com todas as outras coisas que Ele faz. Mas agora chegamos à montanha da decisão, à famosa "bifurcação" no caminho. Deus nos resgatou do pecado e do mundo. Ele começou a fazer de nós um povo. Era

Em Busca do Amado da Sua Alma

83

disso que se tratava a jornada no deserto; Deus estava fazendo um povo daqueles que "não eram povo".

Pedro escreveu: "Vós que em outro tempo *não éreis povo*, mas agora sois *povo de Deus*; que não tínheis alcançado misericórdia, mas agora alcançastes misericórdia" (1 Pe 2:10). Deus separou escravos e servos humildes que não tinham educação e certamente nenhuma autoestima, implantou o Seu próprio caráter neles e colocou neles o Seu nome. Ele os retirou do Egito e disse: "Agora, farei de vocês um *povo*". Ele estava literalmente edificando uma Noiva.

O Senhor trouxe os descendentes de Abraão ao pé do Monte Sinai, mas não foi fácil. Quando a multidão precisava de comida, Deus queria que Eles O buscassem para receberem o pão, mas eles preferiam reclamar com Moisés e declarar como era bom viver no Egito, o lugar do seu cativeiro. Apesar disso, Moisés orava e Deus mandava codornizes e maná. O mesmo aconteceu quando havia falta de água. Em vez de pedirem a Deus e de crerem na sua provisão abundante, eles imediatamente encurralavam Moisés para reclamar e falar sobre os "bons tempos" no Egito. Deus tinha algo melhor para os filhos de Israel: *Se Eu conseguir que eles atravessem esta montanha, então posso ter esperança de levá-los até o fim.*

Chamados para Um "Lugar Nele"

A triste e infeliz verdade do Livro de Êxodo é que o grupo heterogêneo de pessoas que Deus levou ao Monte Sinai *não era o grupo de pessoas* que Ele fez atravessar o rio Jordão para entrar na terra prometida. *Algo aconteceu na montanha.* Deus os chamou e fez deles uma nação pela primeira vez. Ele os chamou a um lugar – um lugar de bênção e um lugar de mudança – onde eles não quiseram ir.

E não pense que esse "lugar" era simplesmente um local físico no mapa. A bênção deles não era uma propriedade rochosa em algum lugar, embora a terra prometida fosse parte do pacote. Deus os chamou para *um lugar prometido Nele*. Ele os chamou para um lugar de aliança, um lugar de intimidade com o seu Criador que não era oferecido a nenhum outro povo no planeta daquela época. Este é o segredo do lugar secreto. Pensamos que a ideia de um "reino de sacerdotes" é uma ideia exclusivamente cristã ou do Novo Testamento, mas ela também era o plano original de Deus para Israel!

84 *Os Caçadores de Deus*

Disse também o Senhor a Moisés: Vai ao povo, e santifica-o hoje e amanhã, e lavem eles as suas vestes. E estejam prontos para o terceiro dia; porquanto no terceiro dia o Senhor descerá diante dos olhos de todo o povo sobre o monte Sinai.
... soando a buzina longamente, então subirão ao monte.

Êxodo 19:10-11, 13b

Embora a primeira geração de israelitas reunida ao redor do monte tivesse ao final acreditado nos espias e não entrado na terra prometida por medo, a verdadeira causa do fracasso deles está bem ali no pé do Monte Sinai. Deus pretendia que todos os israelitas se *aproximassem Dele* no monte, mas eles se sentiram desconfortáveis.

E todo o povo viu os trovões e os relâmpagos, e o sonido da buzina, e o monte fumegando; e o povo, vendo isso, retirou-se e pôs-se de longe. E disseram a Moisés: Fala tu conosco, e ouviremos; e não fale Deus conosco, para que não morramos. E disse Moises ao povo: Não temais, Deus veio para vos provar, e para que o seu temor esteja diante de vós, a fim de que não pequeis. E o povo estava em pé de longe. Moisés, porém, se chegou à escuridão, onde Deus estava.

Êxodo 20:18-21

Eles viram os relâmpagos e ouviram o trovão, e recuaram com medo. Eles fugiram da Sua presença em vez de irem em busca Dele como Moisés fez. Eles ficaram insatisfeitos com o estilo de liderança que Deus havia escolhido (Ele não podia abrir mão de Sua identidade como Deus Todo Poderoso apenas para satisfazer o homem naqueles dias, e Ele não fará isso hoje também). Assim, por terem fugido da presença do Senhor, morreram antes que eles ou seus filhos tivessem entrado na terra prometida. *Eles preferiram o respeito distante ao relacionamento íntimo.*

Não era o plano original de Deus que a primeira geração de israelitas morresse no deserto. Ele queria levar o *mesmo grupo* de pessoas que havia tirado da terra do cativeiro para a terra da promessa. Ele queria dar à Sua nova nação de ex-escravos a sua própria terra e herança, mas eles a perderam por causa do medo e da incredulidade. A condenação foi selada quando eles olharam do outro lado do Jor-

Em Busca do Amado da Sua Alma

dão para a terra prometida e recuaram, mas ela realmente começou quando eles recuaram da presença de Deus no Monte Sinai. Foi ali que eles fugiram de Deus e pediram que Moisés ficasse entre eles (A Igreja tem sofrido do mesmo problema desde então). Geralmente preferimos que um homem fique entre nós e Deus. Temos um medo carnal da santa intimidade com Deus que é inspirado pelo inferno. As raízes deste medo remontam ao Jardim do Éden. Adão e Eva se esconderam com vergonha e medo enquanto Deus ansiava por uma doce comunhão.

Vamos Fugir ou Entrar?

Agora, dê uma olhada bem de perto em sua igreja. Estou certo de que algumas pessoas estavam ali desde a fundação. Outras chegaram alguns meses depois ou vários anos depois. Alguns são crentes novinhos em folha ou pelo menos crentes recém chegados. Deus trouxe todos vocês à montanha hoje. Vocês que "não eram povo", foram feitos povo. Deus tirou todos nós da escravidão do pecado. Ele tirou alguns de nós de casamentos ruins; outros foram libertos do cativeiro do alcoolismo ou das drogas. Fomos libertos do desemprego e da pobreza, da depressão crônica, e de valas do inferno profundas demais para se mencionar. No final, todos nós terminamos juntos no pé do Seu monte ouvindo o Seu chamado para nos aproximarmos. Agora enfrentamos o mesmo desafio que os filhos de Israel enfrentaram há milhares de anos atrás: *Vamos fugir ou entrar?* Onde? Na Sua presença.

Existe um ar de expectativa e de entusiasmo na Igreja hoje. Você provavelmente sente que "não está muito longe", assim como eu. Alguns estudiosos acreditam que quando os israelitas chegaram ao pé do Monte Sinal, estavam apenas a alguns dias de marcha da terra prometida. O único motivo pelo qual se atrasaram foi a relutância em prosseguir em direção a Deus. O medo da intimidade plantou as sementes do medo do inimigo. O mesmo pode ser dito da maioria das igrejas de hoje. Realmente sinto que estamos em uma encruzilhada.

Por outro lado, poderíamos dizer: "Chegamos longe demais para voltar agora". Mas também poderíamos dizer: "Estamos realmente cansados. Queremos nos sentar aqui por um tempo". A verdadeira questão é: O que Deus diz? Creio que Ele quer que entendamos onde estamos neste momento. Ele quer que estendamos as mãos e que recebamos tudo que Ele tem para nos dar para o dia de hoje.

Você e eu vamos fazer uma escolha a partir de agora:

1. Vamos crescer em um relacionamento com Ele, independente do que isso nos custe, ou
2. Voltaremos para o lugar de onde viemos, e nos tornaremos um povo "igrejeiro" movido a programações, que frequenta reuniões, que dirige comitês e que gosta de organizar, e que faz todas as "coisas boas" que as "pessoas boas" devem fazer. Terminaremos olhando para trás com ternura para este tempo de decisão e dizendo: "Bons tempos aqueles".

Não sei quanto a você, mas não quero envelhecer e olhar para trás algum dia lamentando e dizendo: "Ah, eram bons tempos aqueles". Por que eu faria isso, se entendi que com Deus posso andar no frescor do que Ele tem para mim *todos* os dias? Se ousarmos seguir a Deus hoje, algum dia poderemos ser capazes de olhar para trás e dizer: "Lembro-me daqueles anos; aquilo foi *antes* de termos o grande avivamento da Sua presença!"

Nosso Futuro Depende do Nosso Ponto de Vista

Francamente, o nosso futuro depende do nosso ponto de vista nesta hora de decisão. Se o nosso ponto de vista for: "Bem, nos saímos muito bem", então isto provavelmente será tudo o que faremos. Mas o nosso futuro será totalmente diferente se dissermos: "Obrigado, Senhor... mas *onde está o resto?* Sei que existe mais! Mostra-me a Tua glória!"

A estratégia mais eficaz de Satanás é fazer com que corramos para linhas de chegada falsas. Ele trabalha incansavelmente para fazer com que paremos de repente e digamos: "Conseguimos!" Ele gosta quando nos vê cair ou parar no acostamento apenas para percebermos no último instante que *a linha de chegada ainda está à frente.* O apóstolo sabia do que estava falando quando disse: "Esquecendo-me das coisas que para trás ficam... prossigo para o alvo" (ver Fp 3:13-14).

Em Busca do Amado da Sua Alma

Precisamos aprender com os acontecimentos no Monte Sinai. Foi ali que os israelitas construíram o tabernáculo de acordo com as instruções que Deus deu a Moisés. Foi no Monte Sinai que Deus deu a Moisés a grande revelação da Sua lei nos Dez Mandamentos. Mas outras coisas igualmente importantes aconteceram ali. Foi ali também que o bezerro de ouro da idolatria foi criado.

Primeiramente, Deus revelou no Monte Sinai que Ele queria começar a tratar com o povo *diretamente* e pessoalmente. Até aquele dia, Moisés sempre havia transmitido aos israelitas tudo que Deus dizia. Aquele era um momento de transição, um período onde Deus estava dizendo: "Tudo bem, é hora de crescer. Quero falar com vocês diretamente de agora em diante, como uma nação inteira de sacerdotes santos. Não quero ter mais intermediários. Amo Moisés, mas não quero ter de falar através dele para alcançar vocês. Quero tratar com vocês diretamente como Minha nação, como Meu povo".

Há muitos "Bebês de colo" nos Bancos das Igrejas

Infelizmente, os israelitas sofriam do mesmo problema de muitos cristãos de hoje. Ficamos viciados na unção, na palavra transmitida por uma boa pregação e por um bom ensino. Muitos de nós nos tornamos "bebês de colo" que querem se sentar em bancos acolchoados em um prédio com ar condicionado, onde outra pessoa vai digerir previamente o que Deus tem a dizer e depois regurgitar tudo de volta para nós (Temos medo de uma "indigestão espiritual" com as mensagens que achamos que são "muito agressivas"). Os estômagos jovens não estão acostumados à verdade sólida!

A solução é fome e desespero pelo próprio Deus, sem intermediários. Precisamos orar: "Deus, estou cansado de ter sempre alguém que ouça a Tua voz! Onde está a chave para o meu lugar secreto de oração? Vou me trancar até que eu mesmo ouça a Tua voz!"

É muito importante lermos a Palavra, mas precisamos nos lembrar que a igreja primitiva não teve acesso ao que chamamos de Novo Testamento por muitos anos. Eles sequer tinham as Escrituras do Antigo Testamento porque aqueles pergaminhos caros ficavam trancados nas sinagogas. As únicas Escrituras que eles tinham eram os versos da lei, os salmos, e os ensinamentos dos profetas que haviam sido passados verbalmente por seus avôs (se eles fossem crentes judeus). Então, o que eles tinham? Eles andavam e falavam com Ele em um nível tão profundo de intimidade que não precisavam ler cartas de amor empoeiradas que haviam sido escritas há muito tempo atrás. Eles tinham as cartas de amor de Deus impressas em seus próprios corações.[2]

O Espírito Santo está dizendo: "Olhe, sei que é ótimo que eu tenha tirado você do pecado e que as suas roupas não estejam envelhecendo. Você está vivendo uma certa medida de bênção, e você tem a Minha presença revelada na nuvem e no fogo todos os dias. Sei que vocês têm uma boa liderança, mas o que Eu realmente quero é isto: que vocês cresçam para um novo nível de intimidade".

Nenhum avivamento verdadeiro ocorreu simplesmente porque as pessoas estavam buscando o avivamento; eles aconteceram quando as pessoas estavam buscando Deus. Somos presunçosos quando pensamos que podemos promover ou controlar um avivamento. Seria como segurar um furacão! Se você puder controlar, então não é um avivamento. É apenas uma série de boas reuniões, com um "chantilly" de pregação e "a cereja" das obras humanas para completar! Podemos amar e lamber os dedos, mas *isto não é avivamento*. Precisamos encarar o fato de que ficamos viciados em todas as coisas que acompanham a igreja, como os corais e a música. Mas elas não são o que Deus chama de "igreja" e elas também não são o verdadeiro avivamento. Tenho uma forte sensação de que Deus está prestes a fazer tudo isso sumir e nos perguntar: "E agora, quem *Me* ama? Quem *Me* quer?" É hora de buscar o Avivador em lugar do avivamento!

Deus está cansado de ter *relacionamentos de longa distância* com o Seu povo. Ele estava cansado disso há milhares de anos nos dias de Moisés, e Ele está cansado disso hoje. Ele realmente quer ter encontros íntimos e próximos com você e comigo. Ele quer invadir os nossos lares e habitar em nós de forma tão poderosa que aqueles que nos visitarem cairão arrependidos em adoração a Ele.

Fuja ou Entre

E todo o povo viu os trovões e os relâmpagos, e o sonido da buzina, e o monte fumegando; e o povo, vendo isso retirou-se

Em Busca do Amado da Sua Alma

> *e pôs-se de longe. E o povo estava em pé de longe. Moisés,*
> *porém, se chegou à escuridão, onde Deus estava.*
>
> Êxodo 20:18, 21

Que dicotomia divina! Um correu para dentro; os outros fugiram! Deus estava chamando o povo à intimidade e eles fugiram para o lado oposto! Eles disseram a Moisés: "...não fale Deus conosco, *para que não morramos*" (Ex 20:19). Eles entenderam que apenas as coisas que combinam com o caráter de Deus, descritas nos Dez Mandamentos, podiam permanecer para viver na Sua presença. Fugindo, eles estavam dizendo: "Olhe não queremos cumprir tudo isso. Não deixe Deus falar conosco agora". Tudo que Deus queria que eles fizessem quando deu os Dez Mandamentos a Moisés era que limpassem os seus atos para que Ele pudesse fazer mais do que simplesmente vê-los à distância. Ele queria andar com eles outra vez no frescor do dia. Ele queria se sentar com eles e abrir o Seu coração em uma íntima comunhão. Nada mudou, meu amigo. Ele quer fazer o mesmo com você e comigo. A nossa resposta correta é: "Por favor, Deus, fala conosco, *ainda que tenhamos de morrer!*"

A triste realidade é que muitos cristãos não desfrutam da presença constante de Deus porque se recusam a limpar o lixo de suas vidas. E muitos de nós que tentamos limpar o lixo tendemos a ficar presos na encruzilhada do legalismo.

Ouvindo os Passos do Pai

Quando os israelitas disseram a Moisés que estavam com medo, ele tentou explicar: "Não temam, Deus só está tentando provar vocês. Aqueles trovões e relâmpagos fazem com que vocês lembrem do Seu tremendo poder a fim de que vocês não pequem. Ele apenas quer que vocês estejam limpos a fim de que Ele possa falar com vocês" (ver Êxodo 20:20). Não é impressionante como os passos de nossos pais pareciam ser graves e pesados quando você os ouvia vindo em sua direção, principalmente nas ocasiões em que você estava fazendo alguma coisa que não deveria estar fazendo? Os israelitas estavam ouvindo os passos do Pai.

A Bíblia diz: "E o povo estava em pé de longe, Moisés, porém, se chegou à escuridão, onde Deus estava" (Ex. 20:21). Que cena! O povo correndo para um lado enquanto Moisés corre para o outro lado, dizendo: "Vamos lá, rapazes, é Deus. Ele só está dizendo: "Aproximem-se de Mim". Ele nunca fez isto antes. Quando eu estava lá em cima na montanha Ele deixava que eu me aproximasse assim, e agora Ele desceu porque Ele quer que todos nós nos aproximemos Dele juntos".

Deus sempre começa com a liderança, e Moisés já tinha entrado naquela escuridão densa antes no topo da montanha. Naquele momento, Deus queria que o resto dos israelitas se unisse a Moisés na Sua presença, mas, ao invés disso, eles fugiram. Parece-me que a história do povo judeu declinou a partir do momento em que Deus disse: "Aproximem-se", e eles disseram: "De jeito nenhum". E está tremendamente claro que este problema não se restringe somente aos israelitas do tempo de Moisés – ele também é um problema da Igreja hoje.

Tudo Que Eles Querem É "Namorar" Deus

Há alguma coisa em nós que faz com que sintamos medo do compromisso que vem com a verdadeira intimidade com Deus. Em primeiro lugar, intimidade com Deus requer pureza. Os dias de diversão e brincadeiras da Igreja terminaram. O que eu quero dizer com "diversão e brincadeiras"? Se a sua definição de diversão é "pouco compromisso e muitos calafrios e arrepios", então tudo que você sempre quis foi "namorar" Deus. Você só queria ficar no banco de trás com Ele.

Deus está cansado de nos ver querendo ter os nossos arrepios com Ele sem colocarmos o anel de compromisso! Alguns estão viciados na unção; são como namoradas interesseiras que andam atrás apenas de presentes, chocolates, flores e jóias. Deus está procurando uma noiva, não uma namorada; Ele quer alguém que permaneça com Ele.

Temo que muitas pessoas na Igreja tenham simplesmente se aproximado de Deus para conseguirem o que puderem Dele sem nenhum compromisso. Deus está dizendo à Sua Igreja "Não quero isto. Se vocês querem se casar comigo, vamos fazer do jeito certo. Vamos fazer os votos". Temos corrido atrás de arrepios baratos sem o compromisso, mas Deus está dizendo: "Intimidade". E Ele está dizendo isso em todo lugar: "Intimidade". E *dessa intimidade* virá o avivamento. O avivamento nascerá de um compromisso com o Noivo. Os filhos sempre nascem da intimidade. É hora de "nos aproximarmos".

Em Busca do Amado da Sua Alma

Frequentemente "colocamos a carroça na frente dos bois". Dizemos: "Queremos avivamento", e nunca mencionamos a intimidade. Buscamos o avivamento sem buscar o Senhor. É como se um estranho se aproximasse de você e dissesse: "Quero ter filhos com você. Não conheço você e nem tenho certeza se gosto de você; nem quero um compromisso ou casamento, mas realmente quero filhos. O que você acha?"

Líderes da Igreja escreveram inúmeros livros sobre como fazer as igrejas crescerem, mas parece que a mensagem que transmitem é: "É assim que se faz a igreja crescer sem se relacionar com Ele". Tentamos encontrar atalhos para encurtar o "requisito da intimidade" de todas as formas possíveis. Por quê? Porque o que queremos é um "monte de filhos" sentados nos bancos da igreja para que possamos olhar ao redor e comparar com a família da igreja de todos os outros na cidade. Os filhos em si mesmos não formam um lar! Eles são o fruto de um relacionamento amoroso e da intimidade no casamento. Francamente, a maioria das nossas igrejas hoje parecem "produções independentes". Onde está o "Papai"?

O que realmente precisamos buscar é um verdadeiro relacionamento com Deus. A consequência da união de um homem e uma mulher geralmente são os filhos. Eles são o fruto natural do processo da intimidade.

Por que os maiores avivamentos do último século nunca ocorreram em solo americano? Creio que a manifestação de Deus é proporcional à nossa capacidade de manter princípios morais e nosso nível de compromisso. Não somos capazes como nação de nos aprofundar em um relacionamento com Deus, na mesma medida que não conseguimos impedir o aumento desenfreado de divórcio e de casamentos desfeitos. Em outras palavras, consideramos a comunicação com Deus algo sem importância. E quando optamos por nos afastar da face de Deus na montanha, todos os outros compromissos em nossas vidas começam a desmoronar.

Cristãos de Estufa Não Têm Raízes

O que mais vemos entre nós hoje são "cristãos de estufa", que florescem em um ambiente protegido e cuidadosamente controlado, longe do medo, do sofrimento e da perseguição. "Deus me livre de sofrer por causa do nome de Jesus!".

Mas se você tirá-los do seu ambiente protegido e colocá-los no mundo real onde o vento da adversidade sopra e a chuva da tristeza cai; se eles tiverem de suportar o sol quente e a seca, então descobrem que nunca desenvolveram um sistema de raízes na estufa. Eles se encolhem e dizem: "Simplesmente não fui feito para isto!"

Quando Deus tratou comigo profundamente, fui obrigado a redefinir alguns critérios quanto ao que significa ser "salvo". Se um ambiente perfeito é sinal da manifestação da presença de Deus na vida de alguém, então meu palpite é que os cristãos perseguidos simplesmente não têm Deus. Como poderiam? Eles não têm seminários bíblicos; eles não têm corais ou a última música de adoração. Eles não têm ar condicionado, introdutores, berçários, sistemas de rádio eletrônico, santuários acarpetados ou conselheiros. O período de louvor é horrível. Se eles forem apanhados em atividades religiosas, têm de pagar um preço terrível. Li um relato sobre um grupo de cristãos chineses que foram pegos fazendo um culto. As autoridades colocaram um cocho para cavalos no meio da cidade e obrigaram cada homem e mulher daquela congregação a urinar dentro dele. Depois eles afogaram o pastor ali, bem diante dos olhos deles!

Você sabe o que aconteceu? A congregação dobrou de tamanho em duas semanas, e não foi por causa do belo santuário ou da equipe de adoração dinâmica que tinham. O verdadeiro crescimento da igreja, seja onde for, em liberdade ou perseguição, vem somente por causa de uma coisa. Ele brota do conhecimento íntimo do Deus vivo.

A Confissão de Pessoas Apaixonadas

Esse tipo de crentes não mede o seu relacionamento com Deus pelo fato de terem recebido um aumento de salário neste trimestre, pela forma como as coisas estão indo com a sua conta bancária, ou pela quantidade de "diversão" que tiveram durante as atividades da igreja. Eles se uniram a Paulo dizendo: "Mas nenhuma destas coisas me abala, *nem em nada tenho a minha vida por preciosa,* contanto que cumpra com alegria a minha carreira com alegria, e o ministério que recebi do Senhor Jesus, para dar testemunho do Evangelho da graça de Deus" (Atos 20:24). Esta é a confissão das pessoas apaixonadas e que estão em íntima comunhão com o seu Criador.

Em Busca do Amado da Sua Alma

Deus está chamando. Na primeira vez que Ele revelou isto a mim, tremi e chorei diante do povo ao dizer a eles a mesma coisa que lhes digo hoje: Vocês estão no Monte Sinai hoje, e Deus está chamando vocês para a intimidade pessoal com Ele. Se vocês ousarem atender ao Seu chamado, isto redefinirá tudo que vocês já fizeram. A sua decisão hoje determinará se você andará para frente ou para trás na sua caminhada com Cristo.

Intimidade com Deus requer certo nível de quebrantamento porque a pureza vem do quebrantamento. Acabaram-se as brincadeiras, amigo. Ele está chamando por você.

Será que não queremos entrar naquela nuvem com Deus porque sabemos que Ele vai olhar dentro dos nossos corações, e sabemos o que Ele vai encontrar lá? Precisarmos tratar com mais do que as nossas atitudes exteriores; temos de lidar com os nossos motivos internos também. Precisamos estar limpos, porque Deus não pode revelar a Sua face a uma Igreja parcialmente pura. Ela seria destruída em um instante.

Deus está chamando pessoas que querem um avivamento sério a um lugar de pureza transparente. É atrás de *você* que Ele está. Ele quer que você se aproxime, mas ao mesmo tempo, se você se aproximar, Ele terá de tratar com você. Isto só pode significar uma coisa: Você precisa morrer. Este é o mesmo Deus que disse a Moisés: "Nenhum homem jamais viu a Minha face e viveu". Portanto, lembre-se de passar pelo altar do perdão e do sacrifício quando estiver a caminho do Santo dos Santos. É hora de rendermos o nosso ego na cruz, de crucificarmos a nossa vontade, e de deixarmos as nossas prioridades de lado.

Deus está chamando você a um nível mais alto de compromisso, Esqueça os planos que fez para si mesmo e renda-os no Seu altar; morra para si mesmo. Ore: "Deus, o que Tu queres que eu faça?" É hora de entregar tudo e cobrir-se com o sangue. Nada vivo pode permanecer na Sua presença. Mas se você está morto, então Ele o fará viver. Então, tudo que você precisa fazer é morrer se realmente deseja entrar na Sua presença. Quando o apóstolo Paulo escreveu: "Cada dia morro", ele estava dizendo: "Entro na presença de Deus todos os dias" (ver 1 Cor 15:31b). Corra para Ele, não fuja!

Notas Finais

1. Ver 1 Pe 2:9.
2. Gostaria de esclarecer que minhas declarações não têm a intenção de dizer que a Bíblia é desnecessária ou irrelevante, ao contrário, ela é a ungida, incorruptível e infalível Palavra de Deus. Meu propósito é apenas advertir os cristãos contra a prática de ler a Bíblia com uma perspectiva voltada para o passado. "Veja o que Deus fez *naquele tempo* com *aquele povo*. Que pena que Ele não faz mais isso conosco hoje". A Palavra de Deus é o mapa para algo maior – *o Deus da Palavra*. Às vezes penso que quase caímos em idolatria quando tendemos a adorar a Palavra do nosso Deus mais que o Deus da Palavra.

Capítulo 6

Como Lidar com o Sagrado

Passando da unção à glória

"Você abaixa a cabeça em silêncio e reverência quando entra em uma igreja comum?
Eu ficaria surpreso se a sua resposta fosse sim".

A. W. Tozer

Minha vida mudou para sempre naquele fim de semana de Outubro em Houston, Texas, quando a presença de Deus invadiu a atmosfera como um raio e dividiu o púlpito no culto de domingo. Jamais me esquecerei quando disse a meu amigo, o pastor: "Sabe, *Deus poderia tê-lo matado*". Eu não estava rindo quando disse isto. Foi como se Deus tivesse dito: "Estou aqui e quero que vocês *respeitem* a Minha presença". Uma imagem do túmulo de Uzá surgiu em minha mente.

Não sabíamos o que estávamos pedindo quando dissemos que "queríamos Deus". Sei que achei que eu soubesse, mas não sabia. Quando Deus realmente Se manifestou, nenhum de nós estava preparado para a realidade da Sua presença. Como já mencionei anteriormente, houve pouca pregação porque não tivemos escolha. Deus recuperou a posse da Sua Igreja por um tempo e não permitiu que nada acontecesse sem que Ele tivesse ordenado especificamente para aquele culto.

A presença tangível de Deus era tão densa que compreendi o que a Palavra quer dizer em:

> *E sucedeu que, saindo os sacerdotes do santuário, uma nuvem encheu a casa do Senhor. E os sacerdotes não podiam permanecer em pé para ministrar, por causa da nuvem, porque a glória do Senhor enchera a casa do Senhor.*
>
> 1 Reis 8:10-11

Deus entrou tão de repente e tão poderosamente naquela igreja que tivemos medo de fazer qualquer coisa a não ser que Ele nos dissesse especificamente para fazer. A Sua presença naturalmente sempre esteve ali, mas não a presença manifesta que experimentamos em certos momentos. Tudo que podíamos fazer era nos sentarmos ali, tremendo. Tínhamos medo de tirar uma oferta sem a permissão específica de Deus. Perguntávamos uns aos outros: "Você acha que não há problema em tirarmos uma oferta? Você acha que devemos fazer isso? E aquilo?"

Reverencie o Sagrado

Por que ficamos tão relutantes quanto a coisas que a maioria de nós havia feito milhares de vezes antes? Éramos *inexperientes em lidar com o sagrado* (E ainda somos!). Percebi que nas primeiras visitações da presença manifesta de Deus, Ele vem de repente e sem aviso. Mas nas visitações seguintes, Ele só vem mediante um convite (a demonstração de fome). É simples: você realmente quer que Ele venha? Você está disposto a pagar o preço de se tornar um caçador de Deus? Então você terá de aprender a reverenciar, lidar e a ser mordomo da santidade de Deus da forma adequada.

A. W. Tozer estava profundamente preocupado com a perda de santidade na Igreja. Ele percebeu que a igreja normal estava perdendo aquele senso do sagrado nos seus cultos de adoração, e isto o entristecia. Para ele, essa falta de reverência significava que as pessoas não achavam que a presença de Deus estava em sua igreja (E provavelmente não estava). Tozer observou que o anseio e o desejo por uma vida espiritual estavam perdendo para o secularismo mundano. Um ambiente assim não produz avivamento. Como resultado, Tozer sentiu que Deus pode realmente procurar em outro lugar se a Igreja não se voltar para Ele, para um relacionamento com *Ele,* e não apenas para as Suas "coisas"!

Agora sei por que os sumos sacerdotes do passado diziam aos seus colegas sacerdotes: "Amarre uma corda em volta do meu tornozelo, porque vou entrar no lugar onde a glória de Deus habita. Fiz tudo que sei para me preparar, mas estou assombrado com Deus". Não tenho medo de Deus; eu O amo. Mas agora tenho um respeito pela glória e pelas coisas santas de Deus que confesso que não tinha antes.

Costumava ser fácil lidar com a unção, mas agora sei que ela é sagrada. Agora tenho o cuidado de orar por duas coisas antes de ministrar: faço uma oração de gratidão em primeiro lugar, dizendo: "Obrigado, Senhor, por nos visitar". Depois faço a segunda parte da oração: "Por favor, fique, Senhor".

A mulher estéril que preparou um quarto para Eliseu em 2 Reis capítulo 4, foi recompensada com um filho. Quando satanás o levou em uma morte prematura, Deus enviou o profeta para levantá-lo e trazê-lo de volta à vida. Satanás não pode roubar o que Deus fez nascer, mas Deus só fará nascer coisas para *as pessoas que abrem espaço (ou constroem quartos) para o milagre* pela fé. É por isso que tomo o cuidado de agradecer ao Senhor por vir, e depois digo a Ele que *nos preparamos para que Ele* venha outra vez. "Senhor, vamos ficar aqui adorando a Ti na quarta, na quinta e na sexta. O nosso único propósito é louvar o Teu nome e buscar a Tua face adorável". Pela fé, acredito que Deus nos visitará outra vez. Sei, pela Sua Palavra, que quando Deus visita alguém, Ele faz com que coisas novas e preciosas nasçam. E ainda que satanás tente matá-las, Deus moverá céus e terra para soprar a vida de volta naquilo que Ele fez nascer!

Precisamos aprender a lidar com as coisas santas de Deus com mais ternura e sensibilidade. Precisamos nos lembrar que "o bom" pode rapidamente se tornar o pior inimigo do "melhor". Se você quer o melhor de Deus, então terá de sacrificar o que acha que é bom e aceitável. Se você e eu pudermos descobrir o que é aceitável para *Ele,* "o melhor", então a promessa da visitação se tornará real.

Creio que presenciei uma parcela do que Deus está fazendo. *E Ele está se preparando para fazer mais.*

Indo para O Lugar onde a Glória de Deus Habita

O Capítulo 13 do livro de 1 Crônicas nos conta que depois que Davi foi coroado rei sobre Israel e derrotou os filisteus, ele decidiu levar a arca da aliança de volta para Jerusalém. Esse foi um "movimento de Deus" no sentido de que essa habitação do Antigo Testamento da presença manifesta de Deus estava sendo transportada do seu lugar de descanso temporário *para o lugar onde a Sua glória habitava*. Deus está querendo se mudar para o Seu verdadeiro lugar de descanso. Fala-se de Jerusalém como uma figura da Igreja. O apóstolo Paulo falou da Jerusalém "lá de cima" como a "mãe de todos nós", referindo-se alegoricamente à Igreja (ver Gl 4:26). Esta é uma imagem da Igreja, a cidade espiritual ou habitação de Deus. Deus quer a Sua glória na Igreja, para que todo o mundo veja.

Houve vezes em que a glória de Deus, o *kabod* (ou "presença tangível"), era transportado do seu lugar de direito por meio do pecado ou da indiferença dos homens. O neto do sumo sacerdote, Eli, continua sendo um marco eterno da ausência de Deus dos piores planos projetados pelo homem. Quando a mãe do menino recém nascido estava morrendo, ela disse às mulheres ao seu lado que o menino se chamaria Icabode, que literalmente significa "a glória se foi". O seu parto começou momentos depois que ela soube que a arca de Deus havia sido tomada pelos filisteus em batalha e que seu marido, Finéias, havia sido morto. Os filhos de Eli, Finéias e Hofni, haviam pecado contra Deus mesmo quando cumpriam os seus deveres sacerdotais diante do Senhor! Não é isso que acontece hoje em inúmeros ministérios? É bem possível que o mesmo destino os aguarde e o seu legado seja marcado pela frase "Icabode, a glória se foi".

Nos vinte anos que se passaram depois da perda da arca, o rei Saul nunca demonstrou qualquer interesse em trazê-la para Jerusalém, mas Davi pensava de modo diferente. Ele tinha uma paixão ardente por ver a presença de Deus restaurada ao seu lugar apropriado. Ele queria viver sob a sombra da glória de Deus.

Temos "brincado de igreja" por tempo demais. É hora de alguém se levantar e dizer: "A era de Saul terminou!" Saul foi um rei segundo a carne; Davi foi um rei segundo o Espírito. Saul foi um rei escolhido porque sua cabeça e seus ombros se sobressaíam a todos os demais

Em Busca do Amado da Sua Alma 99

(segundo a aparência e as qualificações externas), e ele "parecia" ser a pessoa certa. Ele foi nomeado porque o povo pressionava o Senhor para ter um rei, ainda que não fosse o melhor que Deus havia reservado. Saul rapidamente perdeu o mandato quando escolheu agradar aos homens com suas atitudes em lugar de agradar a Deus. Não há lugar para um político na mordomia de Deus. Como Seus filhos, devemos agradara apenas Aquele que nos criou para o Seu próprio prazer.

Davi, por outro lado, foi o rei escolhido por Deus, um homem que vinha preparando toda sua vida através do relacionamento íntimo. Quando Deus arrancou o reino das mãos de Saul para colocá-lo nas mãos de Davi,[2] ele disse com seus atos: "Não vamos mais correr atrás de Deus de um jeito carnal". Quando pessoas como você e eu se levantarem e declararem as suas intenções como caçadores de Deus, a Igreja nunca mais será a mesma.

A Aparência Não Importa Mais

Os letreiros podem estar dizendo muitas coisas, mas a verdade é que Deus não é bem-vindo em algumas de nossas igrejas. Por quê? Porque suas programações, sua dignidade e respeitabilidade entre os homens são mais importantes do que a presença de Deus. Mas Deus está começando a derramar a Sua graça e misericórdia, e o Seu povo sedento está mudando, pouco a pouco. Eles não se importam mais com a aparência imponente de um prédio ou com o profissionalismo das programações feitas por homens – eles estão em busca de Deus. Eles querem *a arca* da presença de Deus de volta na Igreja.

Você pode ter chegado ao mesmo ponto em que estou hoje. Estive em muitos cultos onde a presença da arca não estava. Suportei muitas canções destituídas de poder. Estou cansado até do meu próprio ministério! Preguei sermões demais que podem ter sido ungidos, mas que não introduziram a presença real daquele por quem todos ansiamos. Talvez eu estivesse fazendo o melhor, mas tudo que eu podia fazer era reunir um aroma vago Dele, apenas uma pista de algo incomensuravelmente melhor e mais poderoso.

Tudo que eu podia fazer debaixo da unção era um pouco de fumaça do lado errado do véu, quando o que realmente desejávamos era escorregar por baixo dele e contemplar a Sua glória. Sou grato pela unção, mas agora sei que Deus tem ainda mais para nós – *Ele mesmo*. Esforcei-me e trabalhei no ministério por décadas, mas agora descobri que quando a presença poderosa de Deus vem, tudo que posso fazer perde a importância. Quando Sua presença se manifesta, tudo – pecadores e santos, ricos e pobres, sábios e tolos, jovens e velhos – *tudo* desmorona diante da maravilha da Sua glória. Precisamos deixar de pedir pela unção e começar a clamar pela Sua presença manifesta, *a glória*. A unção dá poder à carne – você prega ou canta melhor. A "glória" aniquila a carne! Busque a glória!

Davi se lembrava de sua comunhão íntima com Deus nos campos de seu pai. Ele se lembrava dos seus encontros sobrenaturais com o Senhor como um jovem pastor humilde que enfrentava leões, ursos e o mais poderoso guerreiro filisteu. Agora, muitos anos mais tarde, como o recém coroado rei de Judá e Israel, Davi havia dado o primeiro passo para realizar o seu sonho:

> *Então [Davi] disse a toda a congregação de Israel:* **Se lhes parece bem, e se o Senhor nosso Deus abrir o caminho,** *enviemos mensageiros aos nossos outros irmãos que ficaram para trás em todos os distritos de Israel, e também aos sacerdotes e levitas nas cidades e vilarejos onde possuem terras em comum, pedindo a eles que se reúnam conosco. E tornemos a trazer a Arca do nosso Deus, pois enquanto Saul viveu nunca a buscamos"*
>
> 1 Crônicas 13:2-3 Revised English Bible[3]

Os "Sauls" e a carne tentaram fazer isso por muito tempo. Obrigada, Deus, pelos pastores e igrejas que têm fome suficiente pela presença de Deus para deixar tudo de lado e dizer: "Podemos ter um belo prédio, podemos ter um tabernáculo, mas precisamos *Dele!*" Muitas vezes Israel teve todos os acessórios de Deus mas não tinha Deus. Os judeus dos tempos de Jesus tinham o tabernáculo, eles realizavam cada ritual de sacrifício com perfeição, eles faziam tudo o que era exigido por lei e guardavam o sacerdócio levítico trabalhando dia e noite – *mas a arca da aliança havia desaparecido*. Às vezes me pergunto se o véu foi rasgado também para revelar o vazio de uma religião distorcida. O rasgo revelava que o Santo dos Santos estava

Em Busca do Amado da Sua Alma

vazio (Eles não podiam entender que o "Santo dos Santos" do Pai havia acabado de ser rasgado por uma lança romana em uma colina não muito distante do templo). Toda a atividade aconteceu fora do véu, enquanto atrás do véu havia somente o silêncio vazio. Às vezes, precisamos reconhecer que alguma coisa está faltando e fazermos a viagem para trazermos a "arca". *Os fariseus nunca gostam de admitir que possuem menos do que tudo.*

> *Convocou, pois, Davi a todo o Israel desde Sior do Egito até chegar a Hamate; para trazer a arca de Deus de Quiriate--Jearim. E então Davi com todo o Israel subiu... para fazer subir dali a arca de Deus, o Senhor que habita entre os querubins, sobre a qual é invocado o Seu nome*
>
> 1 Crônicas 13:5-6

Nos dias de Davi, se você quisesse a glória de Deus, tinha de ir até a arca da aliança. A arca ainda estava na casa de Abinadabe em Quiriate-Jearim, onde havia sido deixada pelos israelitas atônitos de Bate-Semes depois que mais de 50.000 deles haviam morrido. Eles foram mortos porque olharam para a arca sagrada da presença de Deus como uma caixa comum. Eles tiveram a presunção de abrir a arca da presença de Deus e olhar para dentro dela como se fosse uma bela caixa de brinquedos. Vinte anos depois, Davi fez uma peregrinação de mais de 24 quilômetros para encontrar a glória perdida:

> *E puseram a arca de Deus em um carro novo, e a levaram da casa de Abinadabe, que está em Gibeá; e Uzá e Aiô, filhos de Abinadabe, guiavam o carro novo. E levando-o da casa de Abinadabe, que está em Gibeá, com a arca de Deus, Aiô ia adiante da arca. E Davi, e toda a casa de Israel, festejavam perante o Senhor, com toda a sorte de instrumentos de pau de faia, como também com harpas e com saltérios, e com tamboris, e com pandeiros, e com címbalos. E, chegando à eira de Nacom, estendeu Uzá a mão à arca de Deus e pegou nela, porque os bois a deixavam pender. Então a ira do Senhor se acendeu contra Uzá, e Deus o feriu ali por esta imprudência; e morreu ali junto à arca de Deus. E Davi se contristou, porque o Senhor abrira rotura em Uzá; e chamou àquele lugar Perez-Uzá, até*

ao dia de hoje. E temeu Davi ao Senhor naquele dia; e disse: Como virá a mim a arca do Senhor? E não quis Davi retirar para junto de si a arca do Senhor, à cidade de Davi; mas Davi a fez levar à casa de Obede-Edom, o giteu

2 Samuel 6:3-10

Davi e seus homens estavam tentando levar a santa presença e a glória de Deus com mãos humanas. Como se lida com a santidade e com a glória de Deus? Deus só lhe deixará fazer as coisas do seu jeito até certo ponto. Ouvi dizer que a caravana de Davi "tropeçou em uma lombada de terra no caminho". Quem colocou aquela "lombada" ali? Provavelmente Deus! Ele ainda tem uma maneira de colocar quebra-molas no meio da estrada do raciocínio humano. Eles nos forçam a reduzir a velocidade e perguntar: "Estou fazendo a coisa certa?"

A Lombada na Estrada

Os problemas de Davi começaram quando ele e seus homens tentaram continuar como se tudo estivesse normal depois de passarem pelo quebra-molas de Deus. O Senhor nunca pretendeu que a Sua glória fosse transportada entre rangidos no lombo dos mecanismos, veículos ou programações humanas. Ele sempre ordenou que a Sua glória fosse transportada por santos vasos humanos santificados ou separados que reverenciam e respeitam a Sua santidade.

Os filhos de Abinadabe haviam passado 20 anos próximos da arca. Para eles, ela era uma caixa bonita, mas comum. Eles provavelmente ficaram honrados por terem sido escolhidos para dirigirem a carroça que transportava a arca, mas nenhum daqueles jovens estava preparado, e eles não conheciam as antigas advertências com relação à santidade de Deus. Quando a caravana encontrou a "lombada" de Deus na estrada, os bois tropeçaram e Uzá estendeu a mão para firmar a arca. O nome Uzá literalmente significa "força, ousadia, majestade, segurança".[4] A presença de Deus nunca precisa da assistência ou da direção da força do homem para manter-se em seu lugar de direito. Nem Deus jamais permitirá que o braço de carne se glorie na Sua presença sem provar a morte.

A glória de Deus abateu a carne que se aproximou dela viva e Uzá foi instantaneamente morto. *Somente os mortos podem ver a face de Deus,* e somente a carne morta arrependida pode tocar na Sua glória.

Em Busca do Amado da Sua Alma   103

Não creio que algum de nós tenha visto uma igreja funcionar como o modelo descrito no livro de Atos. A morte de Ananias e Safira, por mentirem a Deus, descrita em Atos 5:1-11, deve ser reexaminada pela Igreja de hoje. Aquele mesmo espírito está começando a visitar a Igreja hoje, e os Seus padrões de santidade não mudaram. Quando a glória de Deus desceu sobre aquela jovem igreja, ela trouxe temor sobre o povo, mas também trouxe o poder de Deus de operar milagres através de sinais e maravilhas, fazendo com que muitos fossem acrescentados à igreja (Atos 5:11-16). Por quê? Porque os líderes que eram submissos a Deus fluíam no Seu poder e autoridade (Você não precisa temer o "Papai" se não fez nada de mal enquanto ele estava fora!).

Assim que a presença de Deus caiu sobre nós, começamos a nos fazer as mesmas perguntas que Davi deve ter feito a si mesmo quando percebeu a seriedade de lidar com a presença manifesta de Deus. Começamos a nos perguntar: "Será que devemos ser realmente nós aqueles que cuidarão desta Presença sagrada?" Lembro-me de dizer várias vezes: "Por que eu, Senhor?" Davi, o salmista das montanhas e o guerreiro de Deus, de repente descobriu outra faceta do caráter de Deus que ele nunca havia visto antes. Evidentemente, ninguém mais em Israel conhecida esse aspecto de Deus. Infelizmente, a Igreja de hoje também não.

Davi decidiu cancelar a viagem a Jerusalém e parou para deixar a Presença que ele agora temia na casa de Obede-Edom, próxima a Gate (antigamente uma fortaleza da Filístia). A arca permaneceu ali por três meses, e o Senhor abençoou Obede-Edom, sua família, e tudo quanto ele possuía.

Por que Davi tropeçou como os bois que puxavam a carroça? Ele estava chocado. Fizera tudo que sabia fazer da forma mais respeitável possível (Na verdade, os métodos de Davi se parecem com os métodos utilizados pelos filisteus anos antes do transporte da arca para o território israelita, de acordo com 1 Samuel 6:7). Ele estava dançando ao redor da arca juntamente com o resto do povo enquanto muitos tocavam instrumentos e cantavam. Davi obviamente acreditava que Deus ficaria satisfeito com os esforços dele naquele dia.

Eles pareciam uma pequena "igreja" feliz levando a presença de Deus para o seu lugar, quando se chocaram com uma "lombada santa" na estrada de terra batida de Nachon, uma palavra hebraica que ironicamente significa "preparado".[5] Era óbvio que eles estavam despreparados. Quando Uzá estendeu a mão para impedir que a "caixa de Deus" caísse do veículo do homem, Deus mandou uma mensagem: "Olhem, Eu deixei vocês irem até aqui do seu jeito; mas agora chega. Se vocês realmente querem a Minha presença de volta em Jerusalém, vocês terão de fazer as coisas do Meu jeito". Então Ele abateu Uzá bem ali e interrompeu o desfile de Davi repentinamente. Deus saiu da Sua "caixa" e fez com que os planos do homem fracassassem naquele dia, e seriam necessários três meses para que Davi se recuperasse, se arrependesse, pesquisasse e voltasse para a glória de Deus.

O mesmo acontece hoje quando encontramos a glória manifesta de Deus. Com frequência estendemos a mão movidos pela presunção carnal de acharmos que podemos deter o Deus que cuidadosamente "encaixamos" na nossa programação humana. Não deveríamos nos surpreender quando a glória de Deus transborda das nossas "caixas de tradição e doutrina" e nos choca. Algo sempre morre quando a glória de Deus encontra a carne viva.

Davi mudou seus planos e métodos porque o peso da presença de Deus de repente caiu sobre ele. *Ele começou a pensar: Isto não é uma coisa simples. O que estamos fazendo? Sou realmente aquele que deveria estar fazendo isto?*

Você Quer Pagar o Preço?

É exatamente isso que a Igreja está vivendo neste momento crucial da história: Estamos tentando transportar a glória de volta ao seu lugar. Chegamos ao lugar do temor na eira de Deus e é hora de perguntarmos a nós mesmos: "Somos realmente as pessoas certas? Queremos realmente fazer isto? Estamos dispostos a pagar o preço e obedecer à voz de Deus a qualquer custo? Estamos dispostos a aprender de novo a lidar com as coisas santas de Deus?"

Preciso adverti-lo de que a glória de Deus, a Sua presença manifesta, pode literalmente partir igrejas locais como "partiu" o corpo de Uzá. Cada um dos pastores piedosos deve se dirigir à sua congregação com ternura e diplomacia e dizer:

"Se vocês não levam a sério a intenção de buscar a face de Deus, então devem procurar outro lugar. Se vocês se sentem desconfortáveis

Em Busca do Amado da Sua Alma 105

em esperar na presença de Deus e experimentar o peso de glória de Deus; se vocês se sentem desconfortáveis com as manifestações estranhas e incomuns que às vezes acompanham a Sua vinda, então vocês precisam encontrar um lugar para ficar onde haja menos fome de Deus. Já passamos tempo demais levando a igreja do nosso jeito. Se vocês querem continuar levando a igreja "do jeito de Saul", se vocês estão contentes em enquadrar Deus em seus costumes e amarrá-lo às suas próprias programações e procedimentos feitos por homens, então talvez vocês precisem procurar outro lugar. Devo adverti-los de que a "lombada na estrada" nos diz que não vamos mais fazer as coisas desse jeito.

É quando atinge aquela lombada santa que você entende: "Isto não vai mais funcionar. Isto não está mais certo". Antes de tropeçar nela você estava completamente satisfeito e à vontade com um pouco de dança, algumas músicas (que não sejam barulhentas *demais*), algumas pessoas cantando e dançando, e talvez até algumas coisas menos conservadoras de vez em quando. Mas quando você decide trazer a glória de Deus de volta ao seu lugar, acaba se deparando com uma lombada santa, então a glória de Deus Se manifesta e extermina a carne de alguém bem diante de todos. O verdadeiro arrependimento é uma visão tremenda da morte da carne... forte demais para o estômago de alguns.

Naquele dia, quando sussurrei para o pastor, em temor e tremor: *"Deus poderia tê-lo matado!"*, ambos sabíamos que havíamos chegado ao ponto da lombada na estrada. Deus disse: "Vocês realmente querem que Eu venha? Vocês realmente desejam isso? Então vocês têm de fazer as coisas do Meu jeito".

Ninguém a não ser Deus sabe como os israelitas manusearam a arca quando eles a colocaram pela primeira vez no carro novo na casa de Abinadabe, mas sabemos que eles a trataram de forma diferente depois da morte de Uzá. Podemos ter certeza de uma coisa: *Ninguém a tocou.* Eles adquiriram um novo respeito pela glória de Deus que não se perderia. Eles provavelmente disseram: "Boa sorte, Obede. Você deve saber que temos de enterrar um homem hoje porque ele tocou nesse objeto quando tropeçamos em uma lombada na estrada. É melhor ter cuidado, Obede-Edom".

Davi pensou: "Não sei se realmente quero esta arca em Jerusalém. Ela pode matar a todos nós". O único problema foi que durante os três meses seguintes, Davi continuava ouvindo relatos sobre as bênçãos de Deus sobre Obede-Edom. Segundo a Bíblia, a casa de Obede-Edom foi tão abençoada que tudo que ele tocava era abençoado também! Isto parecia incluir tudo que ele possuía, todos os membros de sua família, e até os seus primos em segundo grau e os animais de sua fazenda. O dinheiro estava entrando e todos tinham saúde. Quando Davi conversou com Obede-Edom, ele disse: "Sim, é isso mesmo".

"Bem, o que você tem feito?"

"Certamente não tocamos nela; não permito que as crianças se aproximem. Mas desde que você descarregou aquela caixa em meu portão, é como se ela emanasse riquezas, poder e autoridade. Quando entro na cidade, acontecem coisas sem que eu tenha feito nada".

Davi rapidamente reconsiderou a sua posição oficial sobre a arca. De repente ele caiu em si quanto ao que a presença e a glória de Deus podiam representar para uma nação se ela trouxe bênção para a família de um humilde fazendeiro. Então disse: "Preciso levar aquela arca de volta ao seu lugar. Vou levá-la a Jerusalém". Quando Davi colocou a arca no carro novo da primeira vez, ele tinha "todo o Israel" com ele pensando: *Uau! Deus ficará satisfeito com a forma como fizemos isto. Veja todos os milhares de homens reunidos em volta da arca tocando instrumentos e dançando.*

Já que ninguém se preocupou em perguntar a Deus a Sua opinião sobre aquilo, Ele teve de puxar o interruptor e acabar com a festa. "Chega, nem mais um passo. Estou sacudindo as coisas! Vocês chegaram à lombada santa e é aqui que a carne precisa morrer. Vocês chegaram ao ponto máximo em *fazer as coisas do jeito de vocês.* Se vocês realmente querem a Minha presença no Seu lugar de direito, então, de hoje em diante, vocês têm de fazer as coisas do *Meu jeito*".

Da segunda vez, Davi fez o que deveria ter feito da primeira vez. Ele estudou a história dos movimentos passados de Deus na Palavra. Como eles transportavam a arca da aliança de um lugar para outro nos dias de Moisés? Ele redescobriu o verdadeiro propósito e função dos levitas e dos sacerdotes da linhagem da Arão, e percebeu

Em Busca do Amado da Sua Alma 107

pela primeira vez que as varas de madeira serviam para serem passadas através dos misteriosos anéis que havia nas laterais da arca. "Ah, então é para *isto* que servem estes anéis!" É impressionante que Deus tenha se zangado por causa de duas varas!

Não Considere Deus Como Coisa Comum

Muitos líderes de igrejas famintas hoje estão lendo tudo que possam encontrar sobre os moveres de Deus no passado. Por quê? Porque chegamos à lombada santa. De algum modo temos a sensação de que se realmente queremos que a santidade de Deus e a plenitude da Sua glória habitem em nosso meio, precisamos descobrir como lidar de forma adequada com o sagrado, com a glória de Deus. Sei que é aí que a carne tem de diminuir, mas qual é o jeito de Deus de fazer isso? A nossa fome é grande demais para que uma refeição nos satisfaça. Estamos em busca de mais da Sua visitação. Queremos que a visitação de Deus se torne uma *habitação*. Queremos o *kabod* de Deus, e não o "Icabode". Queremos que a Sua presença *esteja aqui*.

Estamos na mesma situação do Rei Davi. Nosso maior perigo, a esta altura, é que *as coisas sagradas se tornem comuns*. A arca da aliança ficou na casa de Abinadabe por muito tempo, mas a presença de Deus só esteve ali de forma limitada. Alguns escritores acham que Uzá cresceu em torno da arca da aliança quando era criança. Talvez ele tenha brincado com ela, se sentado nela, ou balançado os pés nas laterais, sem nunca perceber o perigo do que fazia... Se isto for verdade, significa que Deus estava ali de uma forma limitada.

No entanto, quando você começa a transportar a glória de Deus de volta para o Seu lugar de direito, a Sua presença e o Seu poder manifestos começarão a ser restaurados a cada passo, de volta à Sua ordem divina (Será possível que aquele tropeção tenha ocorrido por causa do "peso" adicional da glória, o *kabod*, que ia sendo restaurado à arca?). Você não poderá mais fazer as coisas do mesmo jeito. Se não tomarmos cuidado, podemos permitir que as coisas sagradas se tornem tão comuns a ponto de começarmos a pensar como Uzá: Posso tocá-la, estão vendo? Eu cresci com ela; ela é inofensiva. Vamos tocar a glória de Deus uma vez, e será a última.

Nunca considere a santa presença de Deus como coisa comum, e nunca suponha que se ninguém está chorando, tremendo, tendo manifestações de movimentos estranhos, ou profetizando, Deus não está em ação. Tome cuidado quando bocejar de tédio. Muitos dos grandes homens de Deus do passado sabiam que Deus nem sempre precisa Se manifestar nas coisas que são vistas pelos olhos da carne. Elas dariam este aviso solene a todos nós: "Não entre aqui em busca de sensacionalismo. Entre buscando Deus e você O encontrará".

Precisamos viver com uma nova consciência da Sua constante presença. Quero ser cuidadoso e não permitir que ela seja tão comum para mim a ponto de me fazer pensar que posso estender a mão e tocar a Sua santidade com a minha carne a qualquer momento. Eu O desejo a qualquer preço, e não permitirei que as coisas sagradas se tornem comuns para mim. Se você está comprometido em participar da visitação e da habitação de Deus, então ore comigo:

> *"Senhor Deus, estou aqui para encontrar-me contigo, e estou aprendendo a lidar com as coisas santas da Tua presença. Tem misericórdia de mim, Senhor Jesus".*

Uma das primeiras coisas que Deus faz quando Ele "liga a energia" na Sua Igreja é trazer de volta um respeito por esse poder. Um eletricista experiente lhe dirá que antes de colocarem a fiação em uma casa, eles sempre desligam a energia primeiro. Por quê? A maioria admitirá que é porque eles já *tocaram na energia* antes! O que eles ganharam com a experiência? Eles adquiriram um respeito profundo pelo poder da eletricidade e pelo seu efeito sobre a carne desprotegida.

Antes que Deus traga o Seu poder sobre a terra, na Sua misericórdia Ele primeiro restaura o nosso respeito e o nosso assombro pela Sua glória e pelas coisas que são santas. Precisamos recuperar um respeito profundo e pessoal pelo poder da glória de Deus sobre a carne não arrependida. Não é que não devamos nos aproximar dela, "usá-la", ou habitar nela. Assim como um eletricista pode trabalhar em meio a linhas de força de 220 volts com segurança quando ele aprende a respeitar o poder da eletricidade, Davi e os israelitas aprenderam a honrar e a serem mordomos da glória de Deus manifesta na arca da aliança. Na verdade, eles até levaram a arca para a batalha com eles mais tarde. Deus está chamando você e eu para levarmos a Sua

Em Busca do Amado da Sua Alma

presença "para a batalha" conosco todos os dias como "arcas vivas" ou tabernáculos do Deus Altíssimo. Ele quer que habitemos com Ele em íntima comunhão – mas primeiro a carne precisa morrer.

A unção e o poder da presença de Deus virão sobre nós de uma maneira tão forte que a Sua presença literalmente irá adiante de nós quando entrarmos em nossos escritórios, nas usinas, nas prisões, e nos shoppings. Pelo fato de que este grande avivamento baseia-se na Sua glória e na Sua presença e não nas obras do homem, ele não pode ser contido dentro das quatro paredes das igrejas. A glória de Deus precisa fluir para fora, para o mundo.

Há outro ponto a ser observado na segunda tentativa de Davi de transportar a glória de Deus para o seu lugar de direito. Quando ele fez lembrar aos levitas e aos descendentes de Arão acerca dos seus deveres sacerdotais como mordomos da arca, ele lhes fez uma advertência solene que se aplica a todo sumo sacerdote do Reino de Deus hoje:

> *E disse-lhes: Vós sois os chefes dos pais entre os levitas; santificai-vos, vós e vossos irmãos, para que façais subir a arca do Senhor Deus de Israel, ao lugar que lhe tenho preparado. Porquanto vós não a levastes na primeira vez, o Senhor nosso Deus fez rotura em nós,* **porque não O buscamos segundo a ordenança.**
>
> 1 Crônicas 15:12-13

A palavra hebraica traduzida por "santificar" é *qadash,* que significa "separar" ou "tornar santo".[6] Em outras palavras, tempos de nos tornar santos como Ele é santo. Você sabe como Davi enfatizou a importância da santificação para aqueles homens? Creio que ele disse: "Quero que lhes mostrar a lápide de um sujeito que não era santificado. Vocês irão carregar a mesma arca da aliança que fez isso a ele, então é melhor passarem por uma cerimônia de purificação agora mesmo. É melhor vocês se purificarem". Sei que o primeiro homem a passar a vara entre os anéis já se considerava morto. Somente os "mortos ambulantes" podem receber a santidade de Deus.

Valendo Mais Que Uma Coca-Cola

Este mover de Deus que está ocorrendo em toda a terra tem sido marcado por uma sucessão de noites de purificação e arrependimen-

110   *Os Caçadores de Deus*

to. Se permitirmos que Deus nos leve através do processo completo de arrependimento e quebrantamento sem impedirmos ou apagarmos o Seu Espírito, então quando o *kabod,* a presença solene de Deus, vier entre nós e sobre nós, poderemos carregá-la sem medo porque estaremos andando na pureza de Jesus e a nossa carne estará morta, coberta pelo sangue do Cordeiro.

Os antigos crentes do movimento Pentecostal costumavam fazer algumas coisas das quais eu costumava rir quando jovem. Tenho uma tia que "abria mão de beber Coca-Cola" quando estava buscando a presença de Deus em sua vida. Ela gostava muito de Coca-Cola, mas orava: "Deus, se Tu me visitares, *jamais tomarei outra Coca-Cola".* Deus levou a sério as palavras dela.

Eu costumava rir disso quando era criança e mexia com ela: "Ei, quer uma Coca?" Ela apenas ria e dizia: "Não, não quero uma Coca". Mesmo naquela época, o riso dela sempre me deixava com a sensação de que *ela sabia de algo que eu não sabia.* Agora, desde o primeiro dia em que a presença de Deus se manifestou em Houston, posso dizer: "Agora entendo você, titia. Eu entendo". *Não vale a pena nos agarrarmos a nada com tanta força a ponto de não conseguirmos nos agarrar a Ele.*

Notas Finais

1. A. W. Tozer é um de meus autores preferidos. Recomendo que você leia *Tozer on Worship and Entertainment: Selected Excerpts*, compilado por James L. Snyder (Camp Hill, PA: Christian Publications, 1997).
2. Ver 1 Sm 28:17.
3. Revised English Bible [uma revisão da The New English Bible] (Oxford e Cambridge, England: Oxford University Press e Cambridge University Press, 1989).
4. James Strong, *Strong's Exaustive Concordance of the Bible* (Peabody, MA: Hendrickson Publishers, n.d.), **Uzá** (#H5798, #H5797). Definição adaptada da definição original.
5. Strong's, **Nacon** (#H5225).
6. Strong's, **qadash** (#H6942).

Capítulo 7

Ele Fez Isto Antes; Ele Pode Fazer de Novo

Envia a chuva, Senhor!

Queremos que Deus transforme o mundo. Mas Ele não pode transformar o mundo até que Ele possa nos transformar. Em nosso atual estado não estamos em posição de *influenciar* nada. Mas se nos submetermos ao Mestre Oleiro, Ele nos transformará – todos nós – no que Ele precisa que sejamos. Ele pode refazer o vaso da nossa carne muitas vezes, mas se nos submetermos ao toque do Oleiro, Ele pode nos transformar em vasos de honra, poder e vida. Afinal, não foi Ele que transformou pescadores iletrados em transformadores do mundo e coletores de impostos odiados em avivalistas destemidos? *Se Ele fez isto uma vez, Ele pode fazer de novo!*

Quero quebrar as "regras" padronizadas de escrita dos livros cristãos e pedir a você que faça uma oração comigo agora mesmo, enquanto você lê a primeira página deste capítulo. Este livro foi escrito para ajudar a introduzir a presença de Deus em sua vida e na sua igreja. Pode parecer tolice, mas quero que você coloque a mão em seu coração e faça esta "oração do barro" comigo, agora:

> *"Pai, Te agradecemos por Tua presença. Senhor, o ar está impregnado de possibilidades e sentimos a Tua proximidade. Mas devemos dizer que Tu não estás próximo o suficiente. Vem, Espírito Santo. Se não agora, quando? Se não nós, quem? E se*

não aqui, onde? Apenas diga-nos, Senhor, e iremos; buscaremos a Tua presença porque Te queremos, Senhor. A Tua presença é o que estamos buscando e nada mais nos satisfará".

Algo está acontecendo no Corpo de Cristo. Um número cada vez maior de pessoas não está mais disposto a brincar dos antigos jogos religiosos. O espírito de um guerreiro está se levantando em nosso meio, uma ânsia por conquistar territórios em nome do Eterno. Sei que, em minha vida, recebi um mandato do Senhor de derramar minha vida em cidades chaves onde sinto que Deus pretende derramar o Seu Espírito nos dias que estão por vir.

Estou à procura de cidades onde Deus está se manifestando; Já descobri como Deus se manifestou na cidade de Houston (e menciono isto simplesmente porque tive o privilégio de estar presente quando Deus entrou em cena). Senti-me impelido a participar de reuniões contínuas por mais de um ano em alguns lugares, e coisas incríveis estão acontecendo. Ainda temos um longo caminho a seguir, mas em cada cidade fizemos algo que tem um significado espiritual profundo para este mover de Deus. Quero ver uma manifestação contagiante de Deus como a que foi vista nos tempos de Finney, Edwards, Roberts e companhia, quando regiões inteiras foram arrebatadas para o Reino.

Estou Em Busca de Cidades Inteiras

Estou em busca de cidades; não estou interessado em apenas pregar em igrejas para pessoas cristãs. Estou em busca de cidades inteiras com pessoas que não conhecem Jesus. Certa vez, enquanto pregava em uma conferência com Frank Damazio em Portland, Oregon, ouvi-o mencionar algo que imediatamente chamou minha atenção. Ele disse que alguns pastores da região de Portland haviam se reunido para enterrar algumas estacas no chão em locais estratégicos em torno do perímetro da cidade e em todos os principais cruzamentos. Aquilo demorava horas porque eles também oravam sobre aquelas estacas, pois elas eram símbolos físicos que demarcavam uma declaração espiritual.

Senti o Espírito Santo se mover dentro de mim, então disse: "Frank, se você me der as estacas, irei às cidades onde me sentir chamado e ajudarei os pastores a demarcar aquele território para Deus".

Em Busca do Amado da Sua Alma 113

Então comecei a pedir a Deus em oração: "Senhor, dá-me algum precedente para que eu possa entender o que Tu estás fazendo aqui. Então saberei por que colocaste isto em meu coração".

Aquele mesmo mover do Senhor veio sobre mim mais tarde na Califórnia, e me fez lembrar que ali foi o lugar da grande "corrida do ouro". Sempre que os futuros exploradores de ouro encontravam um lugar onde achavam que poderia haver ouro, eles "enterravam uma estaca". Alguns terrenos são mais valiosos que outros por causa do que *está no solo*. Se você quisesse reivindicar um terreno naqueles dias, você tinha de demarcá-lo enterrando uma estaca na terra. Aquela estaca levaria o seu nome e uma descrição aproximada da área que vocês estava reivindicando. Mais tarde a terra seria formalmente inspecionada, mas até então, uma estaca era tão boa quanto uma escritura de posse em um tribunal de justiça naqueles dias. Se alguém disputasse a sua terra, você poderia ir até aquele lote de terreno e encontrar a sua estaca com o seu nome e com as dimensões aproximadas da terra e dizer: "Veja, eu reivindiquei esta terra de acordo com a lei. Estou no processo de posse e ocupação, mas esta estaca é a prova de que a terra já me pertence por lei".

Os pastores e as congregações que fincaram raízes em uma região têm o direito legal diante de Deus de reivindicarem esses lugares para o Rei, demarcando o território. No passado, muitos de nós estávamos contentes em manter a nossa fé contida dentro das quatro paredes da igreja. Agora, Deus está nos chamando a estender a nossa fé para além dos limites das nossas cidades e nações. Estamos literalmente expandindo os "muros" das nossas igrejas espirituais quando demarcamos nossas cidades. Isto nos faz ver que somos "a Igreja" da cidade, um povo debaixo da autoridade de Deus que é formado por muitas congregações de acordo com o padrão da "igreja da cidade" do primeiro século.

Fizemos estacas de madeira com quatro lados contendo as palavras "Renovação, Avivamento, Reconciliação", juntamente com versículos que confirmavam essas palavras. Um buraco foi perfurado no meio da estaca e nele foi inserida uma declaração por escrito, enrolada. Há cerca de 20 versículos bíblicos e declarações nas estacas, porém uma delas é Isaías 62, que diz:

Eis que o Senhor fez ouvir até às extremidades da terra:
Dizei à filha de Sião: Eis que vem a tua salvação; eis que
com Ele vem o Seu galardão, e a Sua obra diante Dele. E
chamar-lhes-ão: Povo santo, remidos do Senhor; e tu serás
chamada: Procurada, a cidade não desamparada

Isaías 62:11-12

Arrependam-se, Peçam e Resistam

A proclamação por escrito contida em todas as estacas enterradas no chão dessas cidades contém esta declaração, feita pelos representantes legais de Deus naquela cidade:

"Com base nas Escrituras, apoio os líderes desta cidade, e represento outros pastores da cidade que desejam fazer três coisas, arrepender-se, pedir e resistir".

"Nós nos **arrependemos,** pedimos ao Senhor que nos perdoe pelos pecados que já sucederam neste estado e nesta região, especificamente nesta cidade. Pedimos perdão pelos pecados de corrupção política, preconceito racial, perversões morais, feitiçaria, ocultismo e idolatria. Oramos para que o sangue de Jesus limpe as nossas mãos do derramamento de sangue inocente. Pedimos perdão pelas divisões dentro da igreja, perdão pelo orgulho, perdão pelos pecados da língua, e por qualquer coisa que tenha ferido a causa de Cristo. Nos arrependemos e nos humilhamos para pedir que a misericórdia seja derramada sobre a nossa terra, a nossa comunidade e as nossas igrejas".

"**Pedimos** que venha o reino de Deus, e que a Sua vontade seja feita nesta cidade. Pedimos em Nome de Jesus um derramamento de graça, misericórdia e fogo, para que o verdadeiro avivamento espiritual venha e cubra a comunidade, gerando um retorno para Deus, purificação, quebrantamento e humildade. Pedimos que o destino desta cidade não seja abortado. Pedimos que Tu visites esta cidade e as nossas igrejas, e os nossos lares. Pedimos uma restauração dos fundamentos da justiça a esta cidade".

"Também **resistimos.** Com base na minha submissão a Deus, resisto ao diabo e às suas obras, a todas as forças, e a todos os poderes do mal que dominam a cidade. Resistimos ao espírito da maldade que estabeleceu fortalezas nesta cidade, aos lugares de trevas, aos trabalhos ocultos das trevas, aos lugares misteriosos onde o inimigo estabeleceu acampamentos. Clamamos o nome do Senhor para destruir todas as fortalezas espirituais, proclamamos neste dia que esta cidade, principalmente esta região, agora se encontra sob o poder e a propriedade do Espírito Santo. Todos os demais espíritos agora recebem um aviso e são despejados desta propriedade pelo poder do Nome de Jesus. Hoje nos colocamos na brecha e construímos uma cerca de proteção ao redor desta cidade".[1]

Antes de comprar uma propriedade, você precisa providenciar para que ela seja inspecionada ou demarcada, e você precisa decidir *se está disposto a pagar o preço* para possuir a terra. Quando demarcamos as nossas cidades como povo de Deus, estamos na essência declarando guerra aberta ao reino de satanás. Os nossos atos são atos ousados de agressão explícita sem desculpas ou hesitação. Estamos dizendo ao diabo: "Declaramos isto diante de Deus, e agora estamos dizendo a você: 'Vamos tomar a cidade!'"[2]

Veio a mim uma palavra do Senhor sobre "antigos poços", que se aplica diretamente a cidades e às antigas denominações e igrejas principais. Deus vai perfurar novamente ou desentulhar os antigos poços *primeiro*, antes que os novos poços artesianos se abram. Gênesis capítulo 26 nos conta que Isaque fez com que seus homens perfurassem novamente os poços que seu pai, Abraão, havia cavado originalmente muitos anos antes no Vale de Gerar. Embora os inimigos de seu pai tivessem entulhado os poços após a morte de Abraão, Isaque ainda os chamava pelos nomes originais. Ele encontrou tanta água ali que lutava constantemente com os ladrões filisteus e finalmente se mudou para Berseba, ou "o poço do juramento". Foi ali que Jacó encontrou o Deus vivo e descobriu a sua verdadeira herança no plano de Deus.[3]

Nestes dias, Deus está desentulhando alguns dos antigos poços de avivamento. Esses são lugares onde a Sua glória é como uma piscina de águas paradas. As pessoas têm de *vir ao poço* para serem satisfeitas, e isto por desígnio de Deus.

Antes que Deus abra os novos poços, Ele irá cavar novamente os antigos poços.[4] Um ano antes de começar a escrever este livro, o Senhor falou ao meu espírito e disse: "Vou visitar novamente os lugares de avivamento histórico para dar ao Meu povo uma outra

116   *Os Caçadores de Deus*

oportunidade. Eu os chamarei para tirarem o entulho dos antigos poços, para que o início do novo avivamento seja feito sobre as bases do antigo avivamento".

Em termos simples, antes que o verdadeiro avivamento alcance os shoppings, ele terá de se manifestar nos altares de nossas igrejas. E depois, nos últimos bancos. Só então a glória do Senhor poderá fluir por baixo do limiar da porta e para as ruas, em cumprimento à profecia de Ezequiel 47:

> *Depois disto me fez voltar à porta da casa, e eis que saíam águas por debaixo do umbral da casa para o oriente, porque a face da casa dava para o oriente, e as águas desciam de debaixo, desde o lado direito da casa, ao sul do altar. E ele me fez sair pelo caminho da porta do norte, e me fez dar uma volta pelo caminho de fora, até à porta exterior, pelo caminho que dá para o oriente e eis que corriam as águas do lado direito. E saiu aquele homem para o oriente, tendo na mão um cordel de medir; e mediu mil côvados, e me fez passar pelas águas, **águas que me davam pelos artelhos**. E mediu mais mil côvados, e me fez passar pelas águas, **águas que me davam pelos joelhos;** e outra vez mediu mil, e me fez passar pelas **águas que me davam pelos lombos**. E mediu mais mil, **e era um rio, que eu não podia atravessar, porque as águas eram profundas, águas que se deviam passar a nado,** rio pelo qual não se podia passar. E será que toda a criatura vivente que passar **por onde quer que entrarem estes rios** viverá; e haverá muitíssimo peixe, **porque lá chegarão estas águas,** e serão saudáveis, **e viverá tudo por onde quer que entrar este rio**. E junto ao rio, à sua margem, de um e de outro lado, nascerá toda a sorte de árvore que dá fruto para se comer; não cairá a sua folha, nem acabará o seu fruto; nos seus meses produzirá novos frutos, **porque as suas águas saem do santuário;** e o seu fruto servirá de comida e a sua folha de remédio.*
>
> Ezequiel 47:1-5, 9, 12

Não é curioso que o rio da presença de Deus, que fluía de seu santuário, tornava-se *mais profundo* à medida que o profeta andava?

Em Busca do Amado da Sua Alma 117

Por fim, Ezequiel já não podia mais tocar o fundo do rio, as águas o cobriam, estavam fora de seu controle. Busco um avivamento que não possamos conter! E, sua parte mais rasa será o "templo"!

A Próxima Onda de Glória

Creio que algumas cidades são velhos poços da unção de Deus – lugares de avivamento histórico. Deus está chamando pastores e congregações nessas cidades para cavarem novamente esses poços. Infelizmente, retirar o entulho de um velho poço não é uma tarefa agradável. Quando um pastor amigo meu comprou uma propriedade na Índia, disseram a ele que havia um velho poço na propriedade. Não era um poço "vertical" comum; era inclinado horizontalmente ao lado de uma montanha.

Quando os trabalhadores do ministério começaram a retirar o entulho, eles encontraram máquinas velhas, móveis jogados fora e pilhas de quinquilharias, em meio a muitas ervas daninhas e plantas aquáticas. Eles também encontraram algo mais: encontraram centenas de cobras naquele poço abandonado, e elas tiveram de ser removidas também. Meu amigo me disse: "Limpamos todo aquele velho poço e fomos dormir. Quando nos levantamos na manhã seguinte, esperávamos encontrar uma piscina de água estagnada esperando por nós. Mas descobrimos que a água do poço havia começado a borbulhar e estava fluindo com tanta força novamente que havia criado um riacho da noite para o dia!"

A próxima onda virá quando Deus desentulhar os poços artesianos da Sua glória! Muitos dos poços nos desertos do Oriente Médio são verdadeiros oásis. Há água suficiente fluindo para mantê-los cheios na maior parte do tempo, mesmo no calor do deserto. Quase toda coisa viva no ecossistema do deserto abre caminho até esse oásis em busca da água da vida. Deus desentulhou abundantes poços da Sua presença que trouxeram vida a milhões de crentes sedentos e pessoas não salvas nos últimos anos. Mas elas precisam viajar até o poço. Existe um poder esquecido na peregrinação.

Deus está para liberar a próxima onda da Sua unção, e será diferente dos velhos poços que formavam oásis - estes novos poços serão poços artesianos que explodirão com grande força. De acordo com o dicionário, um "poço artesiano" é "um poço feito por meio de perfuração dentro da terra até que se encontre água, que *por pressão interna flui para cima como uma fonte*; um *poço perfurado em profundidade*". Esta nova onda de glória de Deus fluirá apenas de pessoas "perfuradas em profundidade" pela presença de Deus. Ela explodirá em nosso mundo com tamanha força que a Sua presença vivificadora avançará para além de toda barreira e obstáculo para fluir pelas ruas sedentas das nossas cidades e nações. É assim que a Sua glória "cobrirá toda a terra" (ver Is 6:3; Hab 2:14). As fontes das profundezas se abrirão!

Você não precisa ir às águas de um poço artesiano; as águas vão até você! A água sempre busca o nível mais baixo e o caminho de menor resistência para seguir em frente, por isso Jesus, o "resplendor da glória [do Pai], e a imagem expressa da Sua pessoa" (Heb 1:3a), disse: "... aos pobres é anunciado o Evangelho" (Mt 11:5). A glória de Deus sempre procura encher o vazio nas vidas dos homens. Nos dias que estão por vir, a glória de Deus fluirá dos lugares e das pessoas que menos se espera, enchendo os menores e os mais abertos. E só Ele receberá a glória.

O Senhor me falou claramente acerca da Sua glória durante um temporal incomum no Sul da Califórnia. Nasci e fui criado na Louisiana, onde estamos acostumados a ver dias de chuva. Muitas vezes chove dias e noites sem parar, e isso é normal para os moradores. Mas quando chove no Sul da Califórnia, as pessoas notam. Nesse dia em especial, algo de estranho estava acontecendo. Era quase uma tempestade subtropical. Na Louisiana, as pessoas se preparam para a chuva porque estão acostumadas com ela. Elas constroem canais, bueiros e valas, a fim de estarem preparados para a chuva quando ela vier.

Em Los Angeles, porém, as pessoas não estão acostumadas a tanta chuva. Eu estava em uma cafeteria quando a chuva começou. Depois de 20 minutos, percebi que a chuva não iria parar, então fui até onde havia estacionado o carro na rua. A água já estava acima da calçada, quase na altura dos joelhos! Tive de andar com dificuldade para conseguir chegar ao meu carro antes que o nível da água subisse mais! Enquanto eu me afastava dali, disse a mim mesmo: "Com certeza eles não constroem escoadouros para chuva por aqui ou coisa desse tipo. Não sei para onde vai a chuva no meu estado, mas ela nunca chega a essa profundidade tão rápido".

Em Busca do Amado da Sua Alma

Andando pela chuva de volta ao hotel, senti a presença de Deus e simplesmente comecei a chorar. Enquanto as lágrimas se misturavam à chuva, senti o Senhor falar ao meu coração: "Assim como eles estão despreparados para a chuva na esfera natural, eles também estão despreparados para a Minha chuva do Espírito. E Eu virei sobre eles de repente".

Enquanto eu me preparava para a reunião daquela noite, ouvi as notícias locais e o repórter responsável pela previsão do tempo de Los Angeles dizer algo que recebi como uma profecia. Ele disse: "Esta não é a última tempestade. Na verdade, *elas estão se empilhando* no Pacífico *como ondas*, umas contra as outras". Então ele acrescentou: "Elas simplesmente continuarão vindo", e explicou que a fonte daquelas ondas de chuva era o El Nino, que significa "o bebê" e é uma expressão usada para se referir ao bebê de Belém! Aquele repórter não imaginava, mas estava falando sobre o "Cristo menino", a Fonte de todas as ondas de glória que estão para varrer este planeta.

Naquele instante, algo se moveu em mim e disse: "Sim, Senhor! Envia onda após onda da Tua glória até que ela literalmente inunde tudo! Que tudo que não provém de Ti simplesmente seja lavado para longe com a corrente". *Chove,* Jesus, *reina!*

Frequentemente a "lei dos precedentes" se aplica a acontecimentos paralelos na esfera real e na espiritual. Estou tão faminto pela liberação da Sua glória que não consigo expressar a sua intensidade ou urgência. Então, eu oro:

> *"Senhor, deixa chover! Satanás não terá bueiros suficientes para drenar a glória desta vez. Ela vai subir tão alto que todos ficarão flutuando e ficarão fora de controle em uma poderosa onda da glória de Deus. Faz chover, Senhor!"*

Abra as fontes das profundezas. Desentulhe os antigos poços. Reivindique a sua herança. Demarque a cidade. A terra é do Senhor! Ele fez isto antes; Ele pode fazer de novo! Envia a chuva, Senhor.

Notas Finais

1. Para maiores informações, entrar em contato com a City Bible Church, 9200 N.E. Fremont, Portland, Oregon, 97220.
2. Senti-me tão compelido por isto que, juntamente com um grupo de intercessores, fomos até a Rua Bonnie Brae, em Los Angeles, Califórnia, o local onde ocorreu o derramamento original, que cresceu tanto que teve de se mudar para a Rua Azusa. Enquanto intercedíamos ali na propriedade, fincamos uma estaca! Algo pareceu se quebrar em meu coração (e, espero, que também nos céus). Parecia que estávamos tentando extrair água de um velho poço! O entulho estava sendo retirado e o arrependimento por causa dele estava fluindo. Que as águas de Azusa fluam novamente.
3. Ver Gn 28:10-16.
4. Meu bom amigo Lou Engle escreveu um livro sobre este assunto de "perfurar poços novamente" e nele trata de todos os detalhes da oração intercessória. Ver Lou Engle, *Digging the Wells of Revival* (Shippensburg, PA: Destiny Image, 1998).

Capítulo 8

O Propósito da Sua Presença

Zonas de radiação divina – evangelismo da presença

Perguntamos uns aos outros: "Por que não consigo ganhar os meus amigos para o Senhor? Por que os membros da minha família simplesmente não parecem interessados em Deus?" A resposta poderá chocá-lo, mas a verdade geralmente dói. A razão pela qual as pessoas que o conhecem não estão interessadas no seu Deus é que *você não tem o suficiente da presença de Deus em sua vida.* Há algo sobre a presença de Deus que faz com que tudo o mais desmorone se comparado a ela. Sem ela, você será simplesmente tão pálido e sem vida quanto todos os outros ao seu redor. Não importa o que você faça, sem a Sua presença, você será "simplesmente outro alguém" para aqueles que estão à sua volta.

Não sei quanto a você, mas estou cansado de ser apenas "outro alguém" para os perdidos ao meu redor. Tomei uma decisão. Decidi-me e firmei o meu coração em declarar: "Vou buscar a presença de Deus em minha vida. Vou ficar tão próximo de Deus que quando eu entrar em prédios seculares e em lugares públicos, as pessoas se encontrarão com Ele". Elas podem não saber que estou ali, mas elas definitivamente saberão que Ele está ali. Quero estar tão cheio da presença de Deus que quando me sentar em um avião, todos que estiverem próximos a mim de repente se sentirão desconfortáveis se não estiverem andando reto com Deus – sem que eu tenha dito uma palavra. Não estou querendo condená-los ou convencê-los; só quero levar a fragrância do meu Pai comigo.

Entendemos o que é "evangelismo programado", onde batemos nas portas e entregamos folhetos, ou alguma outra programação da igreja destinada a alcançar os perdidos. John Wimber nos ajudou a entender o "evangelismo de poder", onde misturamos unção com a programação. Nesta forma de evangelismo, podemos orar para que alguém seja curado na rua em vez de apenas testemunharmos ou entregar folhetos. Mas existe uma forma de evangelismo pouco compreendida, e muito pouco utilizada, que chamo de "evangelismo da presença". É quando as pessoas observam e dizem: "Eles estiveram com Jesus" (ver Atos 4:13). É aí que os vestígios de Deus em uma pessoa criam uma *zona de radiação divina* da presença manifesta de Deus, afetando os que estão à sua volta.[1]

"A cura pela sombra" entraria nesta categoria. Não era a sombra de Pedro que curava ninguém;[2] era a sombra dAquele com quem Pedro andava que criava uma zona – uma zona de cura, uma zona livre de demônios! Os hebreus acreditavam que a unção se estendia até onde a Sua sombra alcança! Cobre a terra, Senhor!

O Evangelho de Marcos nos diz que imediatamente depois que Jesus impressionou Seus discípulos repreendendo o mar e o vento durante uma grande tempestade, eles ancoraram no "país dos Gadarenos" (ver Mc 4:35-5:1). Algo aconteceu naquele dia que oro para que aconteça em nossos dias.

Quando a sola dos pés de Jesus tocou a costa arenosa de Gadara, a 800 metros de distância, um homem possesso por 5.000 demônios de repente foi liberto do domínio sufocante deles pela primeira vez.[3] "Por quê? Como você sabe?" Marcos nos diz que quando o homem endemoninhado viu Jesus, ele correu para adorá-lo. Até aquele exato momento, os demônios haviam dito a ele aonde ir e o que fazer em todas as outras situações. Ele não tinha controle sobre seus próprios atos, até mesmo quando os demônios lhe ordenavam que se cortasse.

Então, o que mudou tudo aquilo? O que aconteceu em um instante que arrancou a mente e as funções físicas daquele homem do controle de 5.000 espíritos demoníacos controladores? Eu lhe direi o que aconteceu: O Pai pisou novamente na casa.

Em Busca do Amado da Sua Alma

É disso que precisamos hoje. Precisamos ouvir o som das pisadas de Deus quando a sola de Seus pés tocarem a terra apenas uma vez... Quando isto acontecer, não teremos de nos preocupar em dizer a pequenos demônios que fujam. Nem teremos de gritar versículos bíblicos para expulsá-los ou orar contra fortalezas demoníacas. O propósito da Sua presença manifesta é "libertar os cativos", cumprir Lucas 4:18. Ele quer completar o que não pôde começar em Nazaré quando disse: "Hoje se cumpriu esta Escritura em vossos ouvidos" (Lc 4:21b).

> *"Senhor, queremos Te ver! Estamos cansados de apenas falar sobre Ti como crianças de Escola Dominical. Onde é que Tu vais Te manifestar, Senhor?"*

Oro para que uma "Visitação como a de Isaías Capítulo 6" venha às igrejas das cidades, porque é preciso apenas um passo do Deus Todo Poderoso em uma cidade para quebrar as cadeias de décadas e séculos de domínio demoníaco. Oro para que possamos dizer com o profeta Isaías: "*Vi o Senhor*". Estou orando por uma manifestação coletiva na Igreja, mas primeiro oro para que Deus dê a cada um de nós uma manifestação individual em nossas vidas. "Senhor, não estamos simplesmente vindo a Ti para ganharmos uma bênção. Buscamos o Abençoador". Precisamos da Sua presença!

Devo adverti-lo que às vezes você será quebrantado para conseguir essa manifestação. É assim que acontece. Eu o encorajo a demorar-se e a mergulhar na presença do Senhor em cada oportunidade. Quando você se aproximar Dele, não ser apresse e não corra. Isto deve (ou deveria) estar no topo da sua lista de prioridades. Deixe Deus fazer uma *obra profunda* em seu coração e em sua vida. È assim que Deus cria um "poço perfurado em profundidade" em sua vida que se tornará um poço artesiano de poder e glória na Sua presença. O propósito da Sua presença é trazer libertação aos cativos e vitória aos filhos.

Quer Ver uma Briga Terminar? Chame o Papai!

Durante séculos estivemos envolvidos em batalhas espirituais contra satanás e os pequenos vilões da sua vizinhança, usando palavras ousadas e às vezes paus e pedras. Mas é hora de clamarmos ao nosso

Pai e ver as batalhas terem um novo desfecho. Eu lhe digo com toda minha fé que se o Pai de nós todos puder descer e permitir que a Sua presença manifesta toque a terra uma única vez... Se até mesmo uma pequena lágrima dos Seus olhos puder cair em uma cidade como Los Angeles, Nova Iorque, ou Chicago, então a inundação de glória que isto gerará trará avivamento por toda a terra, fazendo os demônios fugirem e os pecadores caírem de joelhos! Jesus, ajuda-nos. Vem Pai! Aba Pai, Paizinho... precisamos de Ti!

Mas se você realmente está faminto por ver o Papai entrar em cena, então precisa parar de buscar os Seus benefícios. Conseguimos transformar o que erroneamente chamamos de "igreja" em um grande "clube da bênção", onde nos candidatamos a diferentes bênçãos. Não estou certo de que precisamos buscar mais bênçãos. Foi isso que os israelitas fizeram em todos os séculos depois de fugirem da face de Deus. O que precisamos buscar realmente é quebrantamento e arrependimento, dizendo com palavras e ações: "Deus, Te queremos. Não importa se farás alguma coisa ou não. Estamos nos arrastando até o altar, Deixa o Teu fogo purificador cair para que possamos finalmente ver a Tua face".

Por que passaríamos por tudo isso? Existem pelo menos duas razões nas quais consigo pensar. Primeiramente, a experiência de ver a glória de Deus é transformadora. É a experiência mais formadora de hábitos que um ser humano pode ter, e o único efeito colateral é a morte da carne. A segunda razão é esta: O verdadeiro propósito da presença de Deus manifesta em nossas vidas é o evangelismo. Se pudermos levar um vestígio da glória de Deus para nossos lares e negócios, se pudermos levar um leve brilho da Sua presença permanente para as igrejas mornas, então não teremos de implorar que as pessoas venham ao Senhor em arrependimento. Elas correrão para o altar quando a glória quebrar o seu cativeiro (e elas não podem vir de nenhuma outra forma!). Nenhum homem vem ao Pai a não ser através do arrependimento e da salvação de Jesus. Qualquer outro "caminho para a salvação" traz em si a marca do destruidor.

O Senhor sabe que tentamos preparar o caminho para que as pessoas venham a Deus através da graça barata e indolor e do avivamento sem qualquer preço. Mas tudo que conseguimos foram

Em Busca do Amado da Sua Alma

salvações baseadas em barganhas que mal duraram uma semana. Por quê? Porque tudo que demos às pessoas foi um encontro emocional com o homem quando o que elas realmente precisavam era de um encontro mortal com a glória e a presença do próprio Deus. De hoje em diante, a nossa oração deve ser:

> "Pai, confessamos que queremos ver *mudança* em nossas vidas e em nossa igreja para que possamos gerar mudança em nossa cidade".
> "Dá-nos um coração e uma tamanha paixão por Ti que possamos começar a ver a Tua glória fluir de nós e convencer e salvar os perdidos. Libera a Tua presença através de nós como fizeste através de Charles Finney quando ele andou em meio a fábricas e viu os trabalhadores se prostrarem de joelhos sob a Tua glória e clamarem por perdão embora nem uma só palavra tivesse sido dita ou pregada. Que a menor sombra da Tua presença em nossas vidas cure os enfermos e restaure os coxos que encontramos nas ruas".
> "Que a Tua presença nos encha de tal maneira que os convidados não salvos não consigam entrar em nossos lares ou estar perto de nós com um coração sem arrependimento. Que a Tua glória traga a convicção de pecados em suas vidas que os leve à salvação – não por causa das palavras que dizemos, mas *por causa da Tua presença e do Teu poder* em nossos corações".

Sinceramente, estou procurando pelo mesmo tipo de avivamento que eles tiveram nas Ilhas Hébridas quando os oficiais foram enviados até Duncan Campbell, que estava conduzindo cultos noturnos de avivamento naquela região. Eles disseram ao evangelista: "O Sr. poderia nos acompanhar até à delegacia de polícia? Há um grande número de pessoas aqui e não sabemos o que há de errado com elas, mas achamos que o Sr. deve vir conosco" (Isto realmente aconteceu!)

Enquanto o homem caminhava com os oficiais através do vilarejo até a delegacia, às 4 da manhã, via as pessoas chorando e orando atrás de cada monte de feno e atrás de cada porta. Os homens se

126   *Os Caçadores de Deus*

ajoelhavam nas esquinas das ruas e as mulheres e as crianças em suas roupas de dormir aconchegavam-se umas às outras próximas às portas abertas de suas casas chorando e gritando.

Quando o evangelista finalmente chegou à delegacia, ele encontrou uma grande quantidade de pessoas chorando e gritando para a polícia: "O que está acontecendo?" Elas nem conheciam o suficiente sobre Deus para saberem que era Ele! Elas apenas sabiam que alguma coisa estava errada e que elas eram culpadas. A única coisa que elas podiam fazer era ir até a delegacia e confessar que alguma coisa estava "errada". O que estava errado era que havia pecado em seus corações e a convicção de Deus havia descido sobre elas repentinamente. Quando aquelas pessoas começaram a invadir a delegacia com suas confissões de delitos, a polícia não tinha as respostas.

O evangelista ficou nos degraus da delegacia bem cedo naquela manhã e pregou o evangelho simples do arrependimento e da salvação por Jesus Cristo, e um avivamento genuíno veio sobre aquele lugar. Este é o tipo de avivamento de que estou falando, o tipo que rapidamente ultrapassará os recursos e a força de trabalho de qualquer igreja.

As Nações Estão Famintas, Mas o Pão Está Velho

Francamente, seríamos totalmente incapazes de administrar uma tamanha colheita de almas em nossas condições atuais, porque não temos o pão fresco da Sua presença em quantidade suficiente para as massas famintas! Posso incomodar algumas pessoas com meu comentário, mas não concordo com a ideia das igrejas funcionarem em "meio expediente". Falamos sobre esse assunto no Capítulo 2, mas vale a pena repetir até que a situação mude. Por que em cada esquina de nossas metrópoles temos pequenas lojas de conveniência que ficam abertas 24 horas por dia, apenas para atender à demanda dos consumidores, enquanto a maioria das igrejas acredita estar satisfazendo a fome da nação por Deus com apenas duas horas por semana?! Por que a Igreja não fica aberta noite e dia, todos os dias? Não deveríamos estar oferecendo o Pão da Vida aos famintos? Algo está terrivelmente errado, e não creio que seja a fome por Deus das pessoas. Elas estão famintas, mas são espertas o bastante para saberem a diferença entre o pão velho da experiência religiosa de ontem e o pão fresco da pre-

Em Busca do Amado da Sua Alma

sença genuína de Deus. Novamente devemos concluir que o motivo pelo qual os famintos não estão batendo em nossas portas é porque a Casa do Pão está vazia.

É interessante notar que nenhuma das 50 maiores igrejas do mundo fica nos Estados Unidos. "Como é possível? Não enviamos missionários por todo o mundo por mais de 200 anos?" Os famintos precisam de pão fresco em abundância, e não de migalhas velhas no tapete do jantar do século passado.

Tenho um amigo que pastoreia uma igreja de cerca de 7.000 crentes. É provavelmente a melhor igreja em células da América, mas ele me disse que recentemente participou de uma conferência internacional e descobriu algo que o fez chorar.

Ele me disse: "Tommy, algo simplesmente me impactou naquela conferência". Ele explicou que a conferência organizou um laboratório para pastores que pastoreavam igrejas com mais de 100.000 membros. "Eu não consegui me conter. Simplesmente tive de abrir a porta e enfiar a cabeça naquela reunião para ver se havia alguém ali. A sala tinha cerca de 20 ou 30 pessoas, e lamentei não poder entrar ali". Então, com lágrimas nos olhos, ele me disse: "Então caí em mim, Tommy. Ninguém naquela sala era americano".

Aquele homem tem tido muito êxito segundo os padrões americanos. Ele conseguiu fazer um progresso razoável em sua cidade de 400.000 habitantes, mas quer mais. Ele não é do tipo que conta o número de membros para competir com outros pastores que se gabam dos números de frequência em seus cultos matinais de domingo. Ele é um caçador de Deus e um ganhador de almas. Suas lágrimas não eram lágrimas de ciúmes; eram lágrimas de tristeza. Um dia seu país, os Estados Unidos, foi um lugar perfeito para o avivamento, mas o deixou passar.

É hora do povo de Deus ficar desesperadamente faminto por Ele, porque o fogo do avivamento primeiro deve acender a Igreja antes que suas chamas possam se espalhar para as ruas. Estou cansado de tentar realizar as obras de Deus com as mãos do homem. Para termos um avivamento nacional só precisamos de uma coisa: *que Deus se manifeste.*

Se você quer que as aulas das escolas da sua cidade se transformem em reuniões de oração, então precisará ver Deus se manifestar.

E isso não é impossível. A glória de Deus tem fluído em algumas igrejas de tal maneira que os cristãos precisam ter cuidado ao entrar nos restaurantes: o simples ato de curvar a cabeça para orar por suas refeições, faz com que as garçonetes e outros clientes se reúnam ao redor, chorando incontrolavelmente e dizendo: "*O que* está acontecendo com vocês?"

Minha esposa estava na fila em uma loja durante a visitação de Deus em Houston quando uma senhora bateu em seu ombro. Ela se voltou para ver quem era e viu uma completa estranha chorando sem qualquer vergonha. Aquela senhora disse à minha esposa: "Não sei onde você esteve, e não sei o que você tem. Mas meu marido é advogado e estou em meio a um processo de divórcio". Ela começou a despejar seus outros problemas e finalmente disse: "O que realmente estou dizendo é: *Eu preciso de Deus*".

Minha esposa olhou em volta e perguntou: "Você quer dizer aqui mesmo?" Ela disse: "Aqui mesmo".

Minha esposa insistiu: "Bem, e quanto às pessoas na fila?"

De repente a senhora se voltou para a mulher que estava na fila atrás dela e disse: "Senhora, está tudo bem se eu orar com esta senhora aqui mesmo?"

Mas a outra senhora também estava chorando e disse: "Sim, e ore comigo também".

Não Existem Atalhos

Coisas sobrenaturais como esta acontecerão a você também, mas *elas só acontecem de um jeito*. Elas só acontecem quando o sacerdote e os ministros choram entre o pórtico e o altar e clamam a Jesus Cristo: "Poupa o povo". Não existem atalhos para o avivamento ou para a vinda da Sua presença. A glória de Deus só vem quando o arrependimento e o quebrantamento o colocam de joelhos, porque a Sua presença requer pureza. Só os mortos vêem a face de Deus. Não podemos esperar que os outros se arrependam nesse nível se você e eu não estamos dispostos a andar continuamente nesse nível de arrependimento.

O mundo está cansado de ouvir igrejas pomposas pregando sermões populares detrás de seus púlpitos grandiosos. Que direito temos de dizer aos outros para se arrependerem quando existem problemas tão evidentes em nossa casa? A hipocrisia nunca esteve tão presente na Igreja de Deus, mas nós fizemos dela a principal atração na nossa "versão" da igreja. O que precisamos fazer é dizer a verdade e confessar: "Sim, temos alguns problemas. Sim, *eu* tenho alguns problemas também. Mas estou me arrependendo do meu pecado agora mesmo. Há alguém aqui que queira se juntar a mim enquanto me arrependo?"

Creio que todos ficaremos surpresos com o número de pessoas que começarão a chegar de toda a sociedade quando virem a Igreja se arrependendo!

Mais uma vez, tudo se resume ao nosso problema mais sério – não temos o pão da Sua presença. Nossas igrejas estão cheias de "filhos pródigos" que amam as coisas do Pai mais do que amam ao Pai. Chegamos à mesa do jantar em família não para pedirmos por mais do Pai, mais para implorar e persuadi-lo e nos dar todas as coisas que Ele prometeu que são nossas por direito. Abrimos o Livro e lambemos os lábios e dizemos: "Quero todos os presentes, quero a melhor parte, a bênção completa; quero tudo que me pertence". Ironicamente, foi a bênção do Pai que "financiou" a viagem do filho pródigo para longe da Sua face! E foi a consciência de sua pobreza de coração que o impulsionou de volta aos Seus braços.

Às vezes usamos as mesmas bênções que Deus nos dá para financiarmos a nossa jornada para longe da centralidade de Cristo. É muito importante voltarmos ao ponto zero, ao objetivo eterno e definitivo de habitarmos com o Pai em íntima comunhão.

> *"Senhor, coloca uma fome em nossos corações por Ti, e nas apenas pelas Tuas coisas. Apreciamos as Tuas ilimitadas bênçãos, Pai, mas temos fome de Ti, o nosso Abençoador. Vem nos mostrar o verdadeiro propósito da Tua presença".*

Notas Finais

1. Ver Heb 8:11, NVI.
2. Ver Atos 5:15-16.
3. Ver Mc 5:2-6. NOTA: De acordo com W.E. Vine no *Vine's Expository Dictionary of Old and New Testament Words* (Old Tappan, NJ: Fleming H. Revell Co., 1981), 329, uma legião romana nos dias de Jesus consistia de "mais de 5.000 homens". Muitos supõem que havia apenas 2.000 demônios infestando aquele homem porque eles pediram permissão ao Senhor para invadirem os corpos de 2.000 porcos, mas talvez muitos deles tivessem de ocupar lugares em dobro, em seus esforços de escapar da dor e do terror dominadores que sentiam na presença do Senhor.

Capítulo 9

Aniquile a Sua Glória

A morte da glória do homem é o nascimento da glória de Deus

Perdemos a arte de adorar ao Senhor. A nossa adoração ficou tão misturada a uma torrente interminável de palavras rasas e insinceras que tudo que fazemos na maior parte do tempo é "preencher espaços" ou "criar um tempo de oração" com um monólogo sem paixão que até o próprio Deus ignora.

Alguns de nós vamos até Ele presos a fardos tão pesados que estamos frustrados e distraídos demais para vermos o Pai ou entendermos o quanto Ele nos ama. Precisamos retornar à simplicidade da nossa infância. Todas as noites em que estou em casa, costumo ninar minha filha de seis anos até que ela adormeça, porque a amo. Geralmente ela se reclina em meus braços, e bem antes de adormecer ela se lembra dos problemas daquele dia e diz algo do tipo "Papai, aquele menino foi mau comigo no recreio", ou "Papai, não fui bem no meu teste de soletrar hoje". Para ela, esses problemas parecem gigantes. Sempre tento acalmá-la dizendo que tudo vai ficar bem, porque ela está descansando em meus braços e porque a amo. Não importa o que alguém disse no recreio, e nenhum dos seus pequenos fracassos têm qualquer poder de feri-la, porque ela está em meus braços.

De alguma forma, quando consigo abrir caminho pelo labirinto de uma mente de seis anos e lhe dar paz, esse costuma ser o melhor momento do meu dia. É quando a minha garotinha inclina a cabeça para olhar para mim com os olhos entreabertos e me dá o seu pequeno sorriso. Nesse momento seu rosto exibe uma adoração absoluta e uma sensação de total segurança, e não há outra forma de descrevê-lo. Ela não precisa falar; eu entendo. E então, em completa paz, ela adormece, com um sorriso de segurança e confiança em seu rosto.

Deus quer fazer a mesma coisa conosco. Mas frequentemente vamos até Ele no fim do dia e O "adoramos" com movimentos pré-fabricados e palavras decoradas, enquanto somos envolvidos pelas ofensas recebidas no "recreio" e os problemas do nosso dia. Permanecemos na Sua presença apenas o tempo suficiente para dizer uma série de palavras decoradas e entregar nossa lista de pedidos. Então, pulamos de seu colo para continuar com a correria das nossas vidas frustradas. Parece que nunca encontramos esse lugar de perfeita paz.

Você Terá de Ficar Face a Face com Ele

O que Deus quer é que simplesmente olhemos para Ele. Nós podemos e devemos dizer a Ele o que sentimos, mas o que Ele realmente está esperando é a nossa mais íntima adoração, o tipo de adoração que transcende meras palavras ou atitudes externas. Ele colocou diante de você uma porta aberta, mas você terá de ficar face a face com Ele. Você não pode entrar de costas pela porta da eternidade; você tem de entrar nela de frente. Você terá de parar de olhar e ouvir outras coisas. Ele está chamando você para "subir até aqui", e Ele lhe mostrará as "coisas que devem acontecer" (ver Ap 4:1). Isto deve trazer paz a um filho cansado.

Não podemos correr o risco de nos deixar levar por nosso "intelecto racional", porque podemos acabar tentando racionalizar os propósitos de Deus. Acabaremos como os fariseus, os saduceus e os escribas do tempo de Jesus, que perderam a hora da sua visitação. Eu não quero fazer isso. Jesus chorou sobre Jerusalém, o símbolo da "casa da presença de Deus", dizendo em outras palavras: "Você não conheceu a hora. *Eu* vim até você e você não soube. Você conhecia a Palavra, mas não Me conheceu" (ver Lc 19:41-44). "Ele veio para os que eram Seus, mas os Seus não O receberam" (Jo 1:11).

Em Busca do Amado da Sua Alma

Não estou escrevendo isto para que você e os muitos outros que lerão estas palavras não conheçam a Palavra de Deus, Ao contrário, estou dizendo isto porque o Senhor quer desenvolver um novo nível de intimidade com o *Seu povo*. Ele não quer que decoremos detalhes sobre a Bíblia; Ele quer que *O conheçamos*. Paulo diz que antes de se converter a Cristo, ele entendia a lei.[1] Mas depois que se converteu, ele disse: "Eu *sei em quem* tenho crido" (2 Tm 1:12b). Uma coisa é conhecer *sobre* Ele; outra coisa bem diferente é conhecê-lo.

Deus está chamando você a um novo nível de intimidade. Se ousar atender ao Seu chamado, Ele lhe revelará uma parte de Seu caráter que você ainda não conhecia. Ele o puxará para tão perto que você respirará o ar rarefeito do Céu. O único caminho para o lugar que Davi chamava de "esconderijo" é a porta da adoração centrada nEle, quando você deixa de lado toda distração e concentra seu corpo, alma e espírito em Deus.[2] Quando a Sua presença se torna tão forte que você se esquece de tudo e todos à sua volta, então a cura pode vir em um encontro com Deus do qual você nunca mais se "recupera". O seu coração ficará permanentemente paralisado de amor, assim como a perna de Jacó ficou coxeando![3]

"Os Meus Cultos Favoritos e os Seus Não São os Mesmos"

Durante minha jornada em busca de Deus, Ele falou comigo em um dia em que estava em Sua presença. Ele disse: *"Filho, os cultos que você considera seus cultos favoritos e aqueles que Eu prefiro não são os mesmos"*. Foi então que percebi que geralmente vamos à igreja para "obtermos" algo de Deus, quando a Bíblia nos diz repetidas vezes para "ministrarmos ao Senhor". É muito bom estarmos envolvidos no ministério, mas estamos tão ocupados ministrando às pessoas e atendendo suas necessidades que raramente entramos em um lugar onde podemos ministrar a Deus. Voltamos para casa semana após semana nos sentindo gratificados por nossas ações, e com as nossas necessidades pessoais parcialmente atendidas. Quando ouviremos a voz suave de Deus dizer:

"Será que alguém pode simplesmente Me amar?"

Como disse antes, a última vez que o li o Salmo 103; 1 ele ainda dizia: *"Bendize, ó minha alma, ao Senhor"*. Mas nós geralmente praticamos: *"Ó meu Senhor, abençoa a minha alma!"*

134   *Os Caçadores de Deus*

A definição de Deus de um herói e a nossa provavelmente não são a mesma. Medite no que Ele disse sobre a mulher "pecadora" que quebrou o vaso de alabastro para ungi-lo. Se o Céu possui uma Galeria da Fama, então posso lhe dizer que há alguém cujo nome vai estar bem no topo da lista. É Maria, a mulher com o vaso de alabastro. O que é tão impressionante nesta questão é que *os discípulos ficaram tão constrangidos com as atitudes da mulher que queriam expulsá-la,* mas Jesus fez das atitudes delas um monumento eterno à verdadeira adoração! Jesus não interveio por causa do talento de Maria, ou de sua beleza, ou de suas realizações religiosas; Ele se pronunciou por causa da adoração dela. Os discípulos disseram: "Por que é este desperdício?" (Mt 26:8b). Jesus disse: "Não é desperdício; é adoração". Frequentemente, os tolos discípulos se perdiam em seu exibicionismo político sobre quem se sentaria à direita ou à esquerda, enquanto Jesus tinha "fome de adoração". A Sua fome extrema atraiu uma estranha, uma "quebradora de vasos", uma lavadora de pés! Adoradores assim geralmente precisam ignorar os olhares e os comentários de uma igreja politicamente correta enquanto ministram a Jesus.

Ele deseja a nossa adoração e devoção. A "Galeria da Fama" do céu está cheia de nomes de ilustres desconhecidos, como o leproso que voltou para agradecer a Deus enquanto outros nove não se incomodaram. Ela estará cheia de nomes de pessoas que tocaram de tal maneira o coração e a mente de Deus que Ele diz: "Eu me lembro de você. Sei coisas a seu respeito. Muito bem, meu servo bom e fiel".

Enquanto isso, agimos em nossos cultos como filhos ingratos exigindo a nossa "mesada bíblica" e as nossas bênçãos. Buscamos religiosamente a mão de Deus, mas não sabemos nada sobre buscar a face de Deus e clamar: "Eu só quero a Ti".

Sente-se no Colo do Abençoador

Deus está nos dizendo: "Eis que diante de ti pus uma porta aberta" (ver Ap 3:7-13). Esta é uma daquelas ocasiões em que Deus parece estar escancarando a porta do Céu e dizendo: "Suba aqui, para um novo lugar de intimidade e comunhão comigo". Você não precisa se preocupar com as bênçãos se você se sentar no colo do Abençoador! Apenas diga a Ele que você O ama e todas as bênçãos que um dia

Em Busca do Amado da Sua Alma

imaginou virão até você. Busque o Abençoador, não a bênção! Busque o Avivador, não o avivamento! Busque a Sua face, não as Suas mãos!

Muitas vezes vejo os corredores das igrejas cheios de pessoas que subiram no colo do Pai. Eu as vejo escondendo seus rostos debaixo dos bancos enquanto buscam a face de Deus. Algo está acontecendo na Igreja hoje, e não tem nada a ver com a propaganda ou a manipulação do homem. Você não está enojado de tudo isso? Você não está faminto por ter um encontro com Deus que não esteja contaminado com as vãs promoções e manipulações dos líderes carnais? Você não anseia por ver Deus simplesmente Se apresentando a você? Você não está só. Houve uma mulher que marcou a estrada do arrependimento com suas lágrimas e que *abriu mão da sua glória* pelo Senhor.

> *E rogou-lhe um dos fariseus que comesse com ele; e, entrando em casa do fariseu, assentou-se à mesa. E eis que uma mulher da cidade, uma pecadora, sabendo que Ele estava à mesa em casa do fariseu, levou um vaso de alabastro, com unguento. E, estando por detrás, aos Seus pés, chorando, começou a regar-lhe os pés com lágrimas, e enxugava-os com os cabelos da sua cabeça; e beijava-lhe os pés e ungia-os com unguento. Quando isto viu o fariseu que O tinha convidado, falava consigo, dizendo: Se este fora profeta, saberia quem e qual é a mulher que lhe tocou, pois é uma pecadora. E, respondendo Jesus disse-lhe: Simão, uma coisa tenho a dizer-te. E Ele disse: Dize-a, Mestre.*
> *Um certo credor tinha dois devedores: um devia-lhe quinhentos dinheiros, e outro cinquenta. E, não tendo eles com que pagar, perdoou-lhes a ambos. Dize, pois, qual deles o amará mais? E Simão, respondendo, disse: Tenho para mim que é aquele a quem mais perdoou. E Ele lhe disse: Julgaste bem. E, voltando-Se para a mulher, disse a Simão: Vês tu esta mulher? Entrei em tua casa, e não Me deste água para os pés; mas esta regou-me os pés com lágrimas, e mos enxugou com os seus cabelos. Não Me deste ósculo, mas esta, desde que entrou, não tem cessado de Me beijar os pés. Não Me ungiste a cabeça com óleo, mas esta ungiu-Me os pés com unguento.*

> *Por isso te digo que os seus muito pecados lhe são perdoados,*
> *porque muito amou; mas aquele a quem pouco é perdoado*
> *pouco ama. E disse-lhe a ela: Os teus pecados te são perdo-*
> *ados. E os que estavam à mesa começaram a dizer entre si:*
> *Quem é este, que até perdoa pecados? E disse à mulher: A tua*
> *fé te salvou; vai-te em paz.*
>
> Lucas 7:36-50

Você pode estar apenas a alguns centímetros espirituais do encontro da sua vida. Se quer ver a face de Deus, então siga Maria até os pés de Jesus. Leve o seu vaso de alabastro de louvor e adoração sacrificial preciosos. Você tem escondido o seu tesouro por muito tempo, mas há Alguém aqui que é digno de tudo isso. Não retenha nada!

Os Evangelhos de Mateus e Marcos também registram este evento, e eles dizem que Simão era ou havia sido leproso.[4] Muitos estudiosos acreditam que o relato registrado pelo Dr. Lucas é a história de um evento anterior, mas mesmo assim, Simão o fariseu ainda era um leproso espiritual porque era afligido pelo pecado desfigurador da hipocrisia. Sempre haverá fariseus com sua lepra ou hipocrisia aparente olhando com desdém enquanto você se apressa para derramar o seu melhor aos pés do Senhor, mas quem se importa? Quem sabe que problemas serão retirados dos seus ombros naquele momento? Quem sabe que preocupações, medos e ansiedades desaparecerão quando você O ouvir dizer: "Eu o aceito".

Aos olhos de Deus, somos todos leprosos espirituais. Precisamos ser aqueles que se voltam para o Libertador para oferecer ações de graças. A aceitação de Deus significa que você pode ignorar todas as outras vozes que dizem: "Eu o rejeito". Não quero ser rude, mas quem se importa com quantos leprosos o rejeitam quando você foi curado e aceito pelo Rei?

Nos Evangelhos de Mateus e Marcos, os críticos mais duros de Maria não foram os fariseus ou os saduceus. Eram os discípulos de Jesus que estavam prontos para expulsá-la, quando Jesus interveio rapidamente.

> *Jesus, porém, disse: Deixai-a, por que a molestais? Ele fez-*
> *Me boa obra.*

Em Busca do Amado da Sua Alma

> *Esta fez o que podia; antecipou-se a ungir o Meu corpo para a sepultura.*
>
> *Em verdade vos digo que, em todas as partes do mundo onde este evangelho for pregado, também o que ela fez será contado para sua memória.*
>
> Marcos 14:6, 8-9

Você Está Sempre na Mente de Deus?

Jesus disse que aquela mulher que havia quebrado o vaso de alabastro para ungi-lo para o Seu sepultamento jamais seria esquecida onde quer que o evangelho fosse pregado. Em outras palavras, *ela estaria sempre na mente de Deus*.Você quer uma visitação de Deus? Então, terá de abrir espaço para Ele na sua vida, não importa o quanto ela esteja lotada e desordenada neste momento. Às vezes isto significa que as coisas que você mais preza precisarão ser quebradas para liberar a fragrância que ficará na lembrança de Deus.

O seu quebrantamento é um aroma suave para Deus. Ele recolhe cada lágrima que escorre do seu queixo e flui dos seus olhos. A Bíblia diz que Ele tem um recipiente de memórias para guardar cada lágrima que você já derramou.[5] Ele ama você, então, corra para o seu lugar secreto e pegue aquele "vaso de alabastro" de unção preciosa que você tem guardado para um momento como este. Quebre-o aos Seus pés e diga: "Jesus, eu Te amo mais do que qualquer outra coisa. Eu abro mão de qualquer coisa; irei a qualquer lugar. Eu só quero a Ti, Senhor".

Não se engane, foi necessário humildade para que Maria secasse os pés do Senhor com os seus cabelos. A Bíblia diz que os cabelos de uma mulher são a sua glória,[6] portanto Maria usou a sua glória para secar os pés de Jesus. As mulheres do Oriente Médio nos dias de Jesus geralmente usavam os cabelos presos, e eles geralmente eram envolvidos em um turbante ou véu quando elas saíam de casa para irem a lugares públicos. Então Maria provavelmente precisou "soltar" seus cabelos para secar os pés de Jesus.

Não quero escandalizar ninguém, mas é importante que entendamos o que aquilo realmente significou para a reputação de Maria. As sandálias eram o calçado mais comum, e era costume os convidados deixá-las junto à porta quando entravam em uma casa. E como a maioria dos viajantes em Israel compartilhava as estradas principais com camelos, cavalos e burros, era impossível evitar as fezes desses animais durante o dia inteiro. E embora as sandálias fossem tiradas quando o convidado entrava na casa de uma pessoa, certamente os resíduos da jornada do dia (inclusive o odor das fezes dos animais) ainda estavam impregnados nos pés desprotegidos dos convidados. Por este motivo, o trabalho sujo de lavar os pés sujos de fezes era reservado ao servo mais insignificante da casa. Qualquer servo que lavasse os pés de um convidado era automaticamente considerado aquele "que não conta, o escravo dispensável e sem importância", e era tratado abertamente com desdém.

Que imagem de adoração humilde Maria nos fornece. Ela desmanchou a sua "glória", seus cabelos, para secar pés sujos de fezes de Jesus. A nossa justiça e a nossa glória nada são além de trapos de imundícia, apropriados apenas para secar os pés Dele![7]

Se você realmente quisesse desonrar e humilhar uma pessoa que entrasse em sua casa, tudo que você tinha de fazer era certificar-se de que os seus servos não lavassem os pés dela. Isso era um fato, principalmente na casa de um fariseu onde a limpeza externa era extremamente importante. Jesus diz claramente que quando Ele entrou na casa de Simão, ninguém lavou os Seus pés (ver Lucas 7:44). É quase como se Simão quisesse que Jesus estivesse ali, mas não quisesse honrá-lo. Com que frequência queremos que Deus esteja presente em nossos cultos, mas nos recusamos (ou ignoramos) a adorá-lo como deveríamos?

Os Nossos Cultos São Feitos Sob Medida para Deus ou para o Homem?

Por muito tempo, a Igreja tem pedido a Deus que esteja "presente", mas nunca colocou a presença de Deus em uma posição de honra. Isto significa que o que realmente queríamos eram as Suas "coisas". Queríamos as Suas curas divinas, os Seus dons sobrenaturais, e todas as coisas miraculosas que Ele pode fazer; mas realmente não queríamos honrá-lo. Como posso dizer uma coisa dessas? Pergunte a si mesmo se a maioria dos cultos das nossas igrejas foram feitos sob medida para

Em Busca do Amado da Sua Alma

entreter as pessoas ou a Deus. É mais importante para nós que quando um homem ou mulher influente sai, diga: "Oh, foi muito *bom*. Gostei muito"; ou que *Deus* diga: "Oh, foi muito bom. *Eu* gostei muito"?

Quando Deus entrava nos nossos cultos no passado, com que frequência interrompíamos tudo que estávamos fazendo para honrá-lo? Ou considerávamos Sua chegada como uma interrupção em nossa programação que era boa, mas somente na "medida adequada". Pergunto-me se, quando Maria quebrou o vaso de alabastro que continha o óleo precioso de nardo, ela percebeu que quando suas lágrimas caíram sobre os pés empoeirados e sem lavar do nosso Senhor, elas fizeram um rastro de limpeza? Será que de repente ela se deu conta do nível de desrespeito que havia sido demonstrado para com Jesus, embora Ele fosse um convidado naquela casa? Creio que sim, e aquilo partiu o seu coração. A tristeza dela parecia apenas aumentar a velocidade das suas lágrimas até que elas desceram como se uma comporta tivesse sido aberta. Havia tantas lágrimas caindo sobre os pés de Jesus que Maria foi literalmente capaz de usá-las para lavar o estrume dos animais em Seus pés!

Mas o que Maria podia usar para secar o restante dos resíduos de estrume de animais dos pés do Senhor? Ela não tinha honra ou autoridade naquele lugar, e assim, não podia pedir uma toalha. Não tendo nada mais à mão, sem toalhas fornecidas pelos servos ou pelo dono da casa, Maria desmanchou seus cabelos e usou a sua glória para secar os pés de Jesus. Ela retirou o desdém e o desrespeito públicos daquela casa para com Ele e os recebeu sobre si mesma. Ela removeu cada evidência da Sua rejeição pública com os seus belos cabelos e a levou como sendo sua. *Você pode imaginar que efeito aquilo teve no coração de Deus?* Jesus nos faz compreender Seus sentimentos naquele momento quando repreende abertamente seu anfitrião:

> *E, voltando-Se para a mulher, disse a Simão: Vês tu esta mulher? Entrei em tua casa, e **não me deste água para os pés**; mas esta regou-Me os pés com lágrimas, e mos enxugou com os seus cabelos. **Não Me deste ósculo**, mas esta, desde que entrou, não tem cessado de me beijar os pés. **Não Me ungiste a cabeça com óleo,** mas esta ungiu-Me os pés com*

unguento. Por isso te digo que os seus muito pecados lhe são perdoados, porque muito amou; mas aquele a quem pouco é perdoado, pouco ama.

Lucas 7:44-47

Você Precisa Se Despir da Sua Glória para Ministrar a Ele

Deus falou comigo e disse: "Maria se despiu da sua glória para ministrar a Mim". Se todos os discípulos estivessem presentes, havia pelo menos mais doze pessoas naquela sala, e nenhuma delas alcançou a intimidade que Maria conquistou naquele dia. Os discípulos perderam a oportunidade, embora fossem boas pessoas como Pedro, Tiago e João. Ouça-me, amigo; você pode estar ocupado sendo um discípulo e *fazendo o trabalho*, mas *perder a adoração!* Você realmente acha que Deus precisa que *façamos coisas* para Ele? Não é Ele o Criador que deixou os Céus e cavou os sete mares com a palma das Suas mãos? Não foi Deus quem moldou a terra para fazer as montanhas? Então obviamente Ele não precisa de você para "fazer" nada. O que Ele quer é a sua adoração. Jesus disse à mulher junto ao poço: "... os verdadeiros adoradores adorarão ao Pai em espírito e em verdade: *porque o Pai procura a tais que assim O adorem*" (Jo 4:23).

Assim como um número incontável de pastores, presbíteros e diáconos na Igreja hoje, os discípulos ficaram nervosos quando se depararam com uma fome tão intensa por Deus, e disseram: "Alguém faça esta mulher parar!" Mas Jesus interveio e disse: "Não, finalmente *alguém está fazendo uma coisa certa*. Não ousem impedi-la!" A Igreja não abre espaço para Marias com vasos de alabastro porque elas fazem com que todos os outros, inclusive nós, fiquemos nervosos quando elas começam a se despir da sua glória, do seu orgulho e do seu ego bem ali "diante de todos" (O verdadeiro problema é que o nosso ego e a nossa glória estão acima da nossa humildade).

Deus está dizendo ao Seu povo: "Eu vou aproximar vocês de Mim *se vocês se despirem da sua glória*; destruam o seu ego e deixem-no de lado. Não me importa quem vocês são, o que vocês sentem, ou o quanto vocês acham que são importantes. Eu quero *vocês*, mas primeiro vocês precisam aniquilar a sua glória". Por quê? Porque a morte da glória do homem é sempre o nascimento da glória de Deus.

Em Busca do Amado da Sua Alma 141

A paixão de Maria foi tão intensa que a levou ao ponto de dizer: "Não me importa quem me veja fazer isto". É possível que você sinta seu coração apertado ao ler estas palavras, mas aprendeu a manter uma expressão séria e "seguir em frente" mesmo que tenha sentido vontade de cair aos pés do Senhor para pedir misericórdia e perdão. Você precisa deixar o amor quebrar a concha de "quem você finge que realmente é". Deus quer que você deixe que o mundo saiba abertamente e corajosamente o quanto você realmente O ama – ainda que você tenha de se despir da sua glória diante de uma sala cheia de discípulos que o desprezam. Torne-se um quebrador de vasos! Quebre o vaso das "suas" coisas preciosas e faça isso com uma demonstração pública de paixão por Ele.

Deus não precisa do seu serviço religioso; Ele quer a sua adoração. E a única adoração que Ele pode aceitar é a que vem da humildade. Então, se você quer vê-lo, precisa aniquilar a sua glória e banhar os Seus pés com as suas lágrimas – independente do que possa encontrar neles. Não é somente para isso que a nossa glória serve? A nossa justiça é como trapo de imundície aos olhos dEle [8].

Alguém Ungido ou Alguém que Unge

Costumamos colocar as pessoas ungidas por Deus em um pedestal. Mas quem são as pessoas que Deus nos deixa como memorial? Jesus disse que o que Maria fez seria "contado para sua memória" (Mt 26:13). Gostamos dos que são ungidos; Ele gosta dos que "ungem"! Essas são as pessoas que buscam Sua face e Seus pés – pessoas que derramam óleo, que lavam com lágrimas, amantes humildes que amam a Deus mais do que amam as Suas coisas.

Creio que Maria realmente ungiu Jesus duas vezes, e iria ungi-lo uma terceira vez. Primeiro ela veio como pecadora e ungiu os Seus pés, ansiando receber perdão a qualquer custo em Lucas capítulo 7. Depois ela ungiu a Sua cabeça no final do Seu ministério terreno em Mateus capítulo 26 e Marcos capítulo 14. O próprio Jesus disse que ela o havia feito "para o Meu sepultamento" (Mt 26:12). Apenas pense nisso. Ele está pendurado na cruz, suspenso entre o Céu e a terra como se fosse indigno de ambos, abandonado por todos, em Seus últimos suspiros de agonia.

Mas o que era aquele cheiro que Ele exalava... mais forte do que o cheiro do sangue escorrendo por seu rosto machucado, mais forte que o barulho dos soldados disputando sua capa, muito acima das zombarias dos sacerdotes judeus? *É a fragrância da adoração recebida, impregnada em Seus cabelos... Ele exala o cheiro do óleo do vaso de alabastro!* A memória da adoração de uma mulher que "unge" fortalece a Sua determinação, e Ele "termina" a Sua missão.

Aquela mesma mulher que O ungiu em vida testemunhou a crucificação e disse: "Não posso deixar de ungi-lo em Sua morte". Enquanto ela levava outra série de especiarias preciosas para ungir o corpo do Senhor, descobriu que o Seu túmulo estava vazio e novamente sentiu seu coração se partir enquanto começava a chorar e soluçar amargamente. Ah, o amor de alguém que unge! Eles estão dispostos até mesmo a derramar unção sobre sonhos mortos!

Jesus havia acabado de deixar o túmulo e estava a caminho para espargir o Seu sangue derramado sobre o trono de misericórdia, quando ouviu aquele choro familiar. Aquela era sem dúvida a tarefa mais importante que Jesus já fizera, porque era o cumprimento celestial da tarefa mais importante que qualquer sumo sacerdote terreno jamais realizara em sua santidade e pureza. Os sumos sacerdotes de Israel tinham de ser muito cuidadosos para evitar a contaminação cerimonial, por isso nenhuma mulher estava autorizada a tocá-los. Mas logo que Jesus começa sua ascensão a fim de aspergir o Seu sangue no trono de misericórdia no Céu, Ele vê aquela que havia se despido da sua glória para limpar os Seus pés, *aquela que unge.* Talvez Ele já estivesse com um pé no primeiro degrau da escada de Jacó que sobe ao Céu quando parou abruptamente e disse: "Ela veio fazer a mesma coisa outra vez. Ela veio com as suas fragrâncias preciosas e seus sacrifícios de louvor, mas Eu não estou lá para recebê-los". Então, Ele parou, interrompeu a tarefa mais importante que jamais fizera, e disse: "Não posso deixá-la aqui sem dizer nada".

Se você é um adorador, você pode literalmente deter os propósitos e planos de Deus. Jesus interrompeu o que estava fazendo para ir até uma pessoa que havia quebrado o seu mais precioso vaso de alabastro para ungi-lo. Ele parou quando viu as lágrimas dela, e chegando por trás disse: "Maria, Maria".

Em Busca do Amado da Sua Alma 143

Deus Parou Por Causa dos Soluços de Uma Prostituta

O que levou o Filho de Deus a fazer aquilo? Por que o grande Sumo Sacerdote do Céu interrompeu seu caminho ao trono de misericórdia por causa dos soluços de uma ex-prostituta? Posso lhe dizer uma coisa: Ele só faz isso por aqueles que estão na "galeria da fama". A princípio, Maria sequer O reconheceu porque Ele havia mudado. Ela disse: "Onde O colocaram? Onde vocês colocaram aquele cujo rosto me acostumei a ver?" Ela pensou que o Cristo glorificado fosse apenas o jardineiro *(isso lembra muitos de nós, que geralmente deixamos de reconhecer a glória de Deus quando ela nos olha face a face).*

Finalmente ela parou de soluçar o suficiente para realmente ouvir a Sua voz dizendo: "Maria". Sua aparência havia mudado de mortal para imortal; Suas feições antes deste mundo agora eram celestiais. Rapidamente Ele disse: "Maria, não me toque. Realmente não quero passar por todo aquele sacrifício na cruz outra vez, portanto, não me toque. Mas eu precisa dizer que estou bem. Vá e diga isso aos discípulos".[9] *Ele tinha de dizer a ela para não tocá-lo;* é como se Ele soubesse que ela iria fazê-lo! Ele também tinha de estar próximo o bastante para que ela O tocasse se desejasse. *É como se Jesus tivesse se arriscado a se contaminar como Sumo Sacerdote por amor a uma adoradora.*[10]

Deus sussurrará os Seus segredos proféticos antes que eles aconteçam aos adoradores que quebram vasos e ungem com aromas. Ele colocará Sua glória de lado por pessoas que se despem da sua própria glória e ego apenas para compartilhar da Sua vergonha como se fosse delas.

Você Está Esperando Pelo Sussurro de Deus?

De certa forma, Jesus estava pondo em risco os propósitos do Pai por causa de uma adoradora que se despiu da sua glória. Por isso Ele precisou ter o cuidado de dizer: "Não me toque". Que nível de confiança Ele tinha nela! Você já se perguntou como certas pessoas parecem ter uma ligação com Deus? Por alguma razão, Deus simplesmente parece estar próximo delas o tempo todo. Posso lhe dizer que não é porque elas pregam muito bem, ou porque cantam maravilhosamente. Na verdade, elas sabem como se despir do seu ego e da sua glória. Elas

144 *Os Caçadores de Deus*

deixam tudo isso de lado apenas para adorar aos Seus pés em quebrantamento e humildade. É por causa dessas pessoas preciosas que o próprio Deus irá interromper sua ida ao Céu apenas para sussurrar os Seus segredos aos corações que aguardam com expectativa.

Você já percebeu que *Deus* não quebrou o vaso de alabastro de Maria? *Maria* teve de quebrá-lo. Se você quer ter esse tipo de encontro com Deus, terá de se "quebrar". O mais alto nível de adoração é fruto do quebrantamento, e não existem atalhos ou fórmulas para ajudar você a chegar lá. E é algo que só você pode fazer. Mas se o fizer, Deus irá parar apenas para passar tempo com você.

Se Ele ouvir o ruído do seu vaso de alabastro se quebrando e revelando os seus tesouros pessoais, ou se perceber que você está se curvando para se despir da sua glória, Ele parará o que estiver fazendo, porque não pode ignorar um coração quebrantado e contrito.[11] Ele vai mover céus e terra apenas para vir conversar com você.

Se você quer saber por que algumas igrejas têm avivamento, ou por que algumas pessoas têm intimidade e as multidões não, a resposta é que *essas pessoas são cheias de quebrantamento*. O seu coração quebrantado pode deter os ouvidos e os olhos de Deus, e tudo começa quando o seu amor por Ele suplanta o seu medo do que os outros possam pensar. Você não pode buscar a face de Deus e preservar a sua própria "face". O "fim" da sua glória é o começo da glória dEle.

Notas Finais

1. Ver Fp 3:5-6.
2. Ver Sl 91:1.
3. Retirei essa expressão, "coração paralisado" de John Bunyan, *The Acceptable Sacrifice,* ou *The Excellency of a Broken Heart* (Sterling. VA: Grace Abounding Ministries, Inc., 1988; reimpresso da edição de 1958 de Mr. O.G. Pierce, The Retreat, Harpendon, Herte, England), 21. John Bunyan revelou esta verdade neste seu último livro. Ele considerava *The Acceptable Sacrifice* o clímax de sua obra, mais importante do que qualquer outra, até mesmo mais do que *O*

Em Busca do Amado da Sua Alma

    Peregrino. Eu o encorajo a ler esta obra caso você esteja interessado em "lutar" com Deus. Ela está disponível em GodChasers.network, P.O. Box 3355, Pineville, LA 71361.
4. Ver Mt 26:6-7; Mc 14:3.
5. Ver Sl 56:8.
6. Ver 1 Cor 11:15.
7. Ver Is 64:6.
8. Ver Is 64:6.
9. Ver Jo 20:17. Três dias depois, Jesus voltou para manifestar-se diante do restante dos discípulos. Eles puderam tocar nele então, mas somente depois que Ele tinha concluído Sua missão.
10. Naturalmente, sabemos que a morte de Jesus foi única, que nunca se repetirá e que foi selada para sempre com a Sua ressurreição. Meu objetivo aqui é apenas dizer que ainda que Ele tivesse de colocar o Seu sacrifício em risco por amor a Maria – o que, naturalmente, era impossível – Ele teria chamado por ela de qualquer forma. Este é o tamanho da atração que um adorador exerce sobre Deus!
11. Ver Sl 51.

Capítulo 10

Moisés e sua Busca de 1500 Anos pela Glória de Deus

Você não pode buscar a face de Deus e preservar a sua própria "face"

Quando Deus nos diz: "Você não pode ver a Minha face", a maioria de nós fica satisfeita por ter cumprido sua obrigação religiosa e rapidamente volta à vida normal. Quando descobrimos que os melhores e mais profundos tesouros de Deus exigem a morte do eu, geralmente não O buscamos mais. Não fazemos as perguntas que precisamos fazer para descobrir *por que* a Sua presença não vem facilmente. Talvez não queiramos ser impertinentes, ou simplesmente sintamos medo da Sua resposta. Mas Moisés perseverou. Ele havia aprendido que *não é impertinente buscar a Deus por amor a Ele; este é o maior desejo e o maior prazer de Deus.*

Este desejo ardente por ver a glória de Deus, por vê-lo face a face, é uma das chaves mais importantes para o avivamento, a reforma e o cumprimento dos propósitos de Deus na terra. Precisamos examinar de perto a busca de 1.500 anos do patriarca Moisés pela glória de Deus. Como observamos no Capítulo 4, quando Moisés disse a Deus: "Mostra-me a Tua glória", o Senhor disse: "Você não pode, Moisés. Só os mortos podem ver a Minha face". Felizmente Moisés não parou ali. Infelizmente a Igreja parou.

148   *Os Caçadores de Deus*

Teria sido fácil para aquele homem ficar satisfeito com a primeira resposta de Deus, mas ele não ficou. Moisés não era egoísta ou presunçoso. Ele não estava em busca de coisas materiais ou de fama pessoal. Ele não estava sequer em busca de milagres ou dons (e Paulo até nos instruiu a buscar os melhores dons em sua carta aos Coríntios). Moisés simplesmente queria Deus, e este é o maior dom e a maior bênção que podemos dar a Ele. Mas Moisés precisou buscá-lo, e isso não foi fácil.

> *Então ele [Moisés] disse: Rogo-Te que me mostres a* **Tua glória**. *Porém Ele disse: Eu farei passar toda a Minha bondade diante de ti, e proclamarei o nome do Senhor diante de ti; e terei misericórdia de quem Eu tiver misericórdia, e Me compadecerei de quem Eu me compadecer. E disse mais:* **Não poderás ver a Minha face, porquanto homem nenhum verá a Minha face, e viverá.** *Disse mais o Senhor: Eis aqui um lugar junto a Mim; aqui te porás sobre a penha. E acontecerá que, quando a Minha glória passar, por-te-ei numa fenda da penha, e te cobrirei com a Minha mão, até que Eu haja passado. E, havendo Eu tirado a Minha mão,* **Me verás pelas costas; mas a Minha face não se verá.**
>
> Êxodo 33:18-23

No momento em que Moisés estava tendo esta conversa com Deus no Monte Sinai, os israelitas já haviam virado as costas para fugir, depois que o Senhor pedira que eles se aproximassem. Foi Moisés quem corajosamente entrou na nuvem da Sua presença. Com temor e tremor, Israel exigiu que Moisés e Arão ficassem entre eles e o Deus a quem eles temiam por causa do seu pecado. Moisés geralmente entrava na nuvem na tenda da congregação, e de algum modo ele ousava desejar ainda *mais*.

Buscaremos a Aprovação Pública ou a Aprovação de Deus?

Enquanto Moisés buscava a Deus no topo de uma montanha em favor dos israelitas, seu irmão Arão, o sumo sacerdote, cedia à pressão da opinião pública e concordava em fazer um bezerro de ouro idólatra para eles. O povo buscava satisfazer os seus prazeres no vale enquanto Moisés via o dedo de Deus escrever a lei sobre tábuas de pedra. Foi

Em Busca do Amado da Sua Alma 149

depois deste episódio que Deus disse a Moisés que ainda permitiria que os israelitas chegassem à terra prometida, mas que teriam de fazer isso com a companhia de um anjo, "...porque Eu não subirei no meio de ti, porquanto és povo de dura cerviz, para que te não consuma Eu no caminho" (Ex 33:3). Moisés respondeu:

> *Eis que Tu me dizes: Faze subir a este povo, porém não me fazes saber a quem hás de enviar comigo; e Tu disseste: Conheço-te por teu nome, também achaste graça aos Meus olhos. Agora, porém, se tenho achado graça aos Teus olhos, rogo-Te que me faças saber o Teu caminho, e conhecer-te-ei, para que ache graça aos Teus olhos; e considera que esta nação é o Teu povo. Disse pois: Irá a Minha presença contigo para te fazer descansar. Então lhe disse:* **Se Tu mesmo não fores conosco, não nos faças subir daqui**
>
> Êxodo 33:12-15

Moisés, juntamente com todos os israelitas, não só viu como também experimentou os milagres e a sobrenatural provisão de Deus. *A Igreja moderna também experimentou manifestações semelhantes, só que em escala bem inferior.*

A maioria de nós teria pulado de alegria diante da promessa de Deus de ir conosco aonde quer que fossemos. Mas quem sabe para onde devemos ir? Moisés sabiamente respondeu: "Se Tu não nos guiares, não irei a parte alguma". *Ele entendia que era "bom" ter Deus andando com você, mas que era "melhor" ir com Deus.* Deus negociou com Moisés: "Eu lhes darei *descanso*". Creio que o cumprimento do "descanso" de Deus para a Igreja no Novo Testamento encontra-se nos dons sobrenaturais do Espírito que nos capacitam a efetivamente treinar e ministrar ao Corpo com um mínimo de esforço humano. Em Isaías 28:11-12, as Escrituras dizem: "Assim por lábios gaguejantes, e por outra língua, falará a este povo. Ao qual disse: *Este é o descanso...*" Creio que os dons do Espírito (inclusive o dom de línguas) são o "descanso" mencionado aqui. Deus estava dizendo metaforicamente: "Moisés, eu lhe darei os dons, o 'descanso'". E Moisés estava dizendo: "Não quero os dons; *Eu quero a Ti*". A Igreja está tão enamorada dos dons do Espírito que não conhecemos o Doador dos dons. Estamos nos divertindo tanto brincando com os dons de Deus que nos esquecemos de agradecer a Ele. A melhor coisa que podemos fazer como crianças de Deus é deixar de lado os Seus dons por tempo bastante para nos sentarmos no colo do Pai. Busque o Doador, e não os dons! Busque a Sua face, e não as Suas mãos!

Moisés Queria a Habitação, e Não a Visitação

Os israelitas raramente separavam um tempo para agradecer a Deus por Seus poderosos feitos porque eles estavam ocupados demais fazendo "listas de pedidos" e reclamações referentes à suas necessidades físicas e pessoais. A grande maioria de nós faz a mesma coisa hoje. Moisés, porém, queria algo mais. Ele havia experimentado os milagres. Ele havia ouvido a voz de Deus e testemunhado o Seu poder libertador. Mais do que qualquer outra pessoa naquele tempo, Moisés havia experimentado algo da presença manifesta de Deus, mas em uma visitação temporária. Mas tudo o que ele havia visto e experimentado em Deus lhe dizia que havia *muito mais* esperando por ele além da nuvem. Ele ansiava por mais do que a simples *visitação*; sua alma ansiava pela *habitação*. Ele queria mais do que apenas ver o dedo de Deus ou ouvir a Sua voz falando no meio de uma nuvem ou de uma sarça ardente. Ele havia ultrapassado o medo e alcançado o amor, e a presença permanente de Deus havia se tornado o seu desejo consumidor. Foi por isso que ele pediu a Deus em Êxodo 33:18:

"Rogo-Te, mostra-me a Tua glória".

Ele queria ver a face de Deus! Deus foi rápido em conceder o pedido de Moisés para Israel. A Sua presença iria adiante do povo, mas Ele não concedeu o pedido mais urgente de Moisés rapidamente. Primeiro Deus disse que Ele faria com que toda a Sua bondade passasse diante de Moisés, e que Ele conhecia Moisés pelo nome. Mas então o Senhor explicou a Moisés: "Não poderás ver a Minha face, porquanto homem nenhum verá a Minha face, e viverá" (Ex 33:20). Essa declaração deveria ter encerrado o assunto, mas Moisés sentiu que deveria haver alguma maneira. O Senhor disse a Moisés, "Veja, você não pode ver a Minha face, mas *há um lugar próximo* a Mim onde você pode Me ver quando Eu desaparecer na distância" (ver Ex 33:21-23).

Em Busca do Amado da Sua Alma

A maioria das pessoas estaria mais do que satisfeita com essa resposta, mas Moisés havia provado a alegria sobrenatural da presença do Senhor e estava adquirindo uma fome por Deus que não podia ser satisfeita de uma distância "segura". Aquela fome o impeliria a arriscar-se a morrer na presença de Deus para saciá-la. Ela perduraria por 1500 anos e ultrapassaria a própria morte para ser satisfeita.

O Senhor disse a Moisés para "apresentar-se" a Ele no cume do monte na manhã seguinte, e Ele o esconderia na fenda da rocha enquanto a Sua glória passava. Ora, este é um procedimento interessante. Deus estava dizendo: "Antes que Eu chegue lá, vou estender a mão a tempo de cobri-lo enquanto passo por você. Depois que eu passar, vou retirar a Minha mão para que você possa esticar o pescoço e olhar na direção para onde fui. Então você verá apenas um pouco das Minhas 'costas' enquanto desapareço na distância" (ver Êxodo 33:22-23).

Então Deus veio em Sua glória na velocidade da luz ou ainda mais rápido para proclamar o Seu divino nome e para passar em Sua glória. Quando Ele passou, retirou a Sua mão da fenda da rocha para que Moisés pudesse ver as costas da Sua glória desaparecendo na distância. Embora esta breve revelação tenha vindo tão rápida quanto um relâmpago, ela exerceu um tamanho impacto em Moisés que ele foi capaz de ditar o Livro de Gênesis para as gerações futuras, revelando "as costas" da história de Deus na narrativa da criação.

"O Problema É Que Você Ainda Está Vivo"

Moisés viu onde Deus esteve. Ele viu os rastros de Deus onde Ele inventou e invadiu o tempo. Então ele foi capaz de traçar novamente a história com um discernimento sobrenatural depois daquele único flash da glória de Deus que desaparecia diante dos seus olhos. Mesmo depois desta experiência Moisés ainda queria mais, mas as palavras de Deus permaneceram com ele: "Você está *vivo*, Moisés; você não pode ver a Minha face".

Moisés sabia que havia um propósito maior por trás do tabernáculo e de tudo que ele havia recebido de Deus, e sentia uma necessidade ardente de conhecer Deus e de ver o Seu propósito eterno cumprido. Moisés sabia que a única maneira de fazer isso era olhando a face de Deus. *Preciso ver a Tua glória; preciso ver a obra completa.* A fome no coração de Moisés gerou uma oração e uma perseverança que desafiava os limites do tempo, do espaço e da eternidade.

Se algum dia você tiver tanta fome de Deus a ponto de ir buscá--lo, Ele fará coisas para você que não fará para ninguém mais.

A conclusão desta história não pode ser encontrada no Antigo Testamento. Você precisa avançar cerca de 1.500 anos, a uma nova era e uma nova aliança, para encontrar o fim da fome que começou na vida de Moisés no Livro do Êxodo. Moisés tinha uma fome por Deus que o consumia e que gerou o que chamo de "uma oração inesquecível". A oração de Moisés para que ele pudesse ver a glória de Deus continuou a ecoar nos ouvidos de Deus todos os dias, todas as semanas, e todos os anos ao longo dos séculos até o dia em que Jesus falou aos Seus discípulos sobre irem até uma montanha em Israel, muitas gerações mais tarde. Aquela oração foi algo eterno, que não conhecia limites de tempo. Ela não morreu no dia em que Moisés deu o seu último suspiro na terra; ela continuou a ecoar através da sala do trono de Deus até o momento em que foi concedida.

Esse momento aconteceu mais tarde, durante o ministério terreno de Jesus Cristo, no dia em que Ele separou três de Seus mais fiéis seguidores para acompanhá-lo ao topo de uma alta montanha. Jesus já havia começado a preparar os discípulos com declarações do tipo: "Aquele que quiser salvar a sua vida, perdê-la-á, e quem perder a sua vida por amor de Mim, achá-la-á" (Mt 16:25). Essa declaração ainda nos incomoda hoje porque há "morte" nela.

Jesus havia derramado de Sua própria vida sobre os discípulos, mas parece que eles tinham muita dificuldade de entender o que Ele estava fazendo e por quê. Eles gostavam dos Seus ensinamentos, mas raramente pareciam entendê-los. Eles amavam vê-lo fazer milagres, mas nunca eram capazes de captar o propósito maior que se escondia por trás deles. Os discípulos apenas O seguiam a toda parte tentando entender um pouco do que Ele estava fazendo.

Praticamente Todos os Discípulos Pegam no Sono Durante as Reuniões de Oração

Naquele dia em particular, Jesus levou três discípulos com Ele para a montanha e começou a orar. Estou convencido de que os discípulos do primeiro século não eram em nada diferentes dos discípulos do

Em Busca do Amado da Sua Alma

século XXI, porque todos eles parecem pegar no sono durante as reuniões de oração.

> *E aconteceu que, quase oito dias depois destas palavras, tomou consigo a Pedro, a João e a Tiago, e subiu ao monte a orar. E, estando Ele orando, transfigurou-se a aparência do Seu rosto, e a Sua roupa ficou branca e mui resplandecente. E eis que estavam falando com Ele dois homens, que eram Moisés e Elias, Os quais apareceram em glória, e falavam da Sua morte, a qual havia de cumprir-se em Jerusalém. E Pedro, e os que estavam com ele, estavam carregados de sono, e, quando despertaram, viram a Sua glória e aqueles dois homens que estavam com Ele. E aconteceu que, quando aqueles se apartaram Dele, disse Pedro a Jesus: Mestre, bom é que nós estejamos aqui, e façamos três tendas: uma para Ti, uma para Moisés e uma para Elias, não sabendo o que dizia. E, dizendo ele isto, veio uma nuvem que os cobriu com a sua sombra; e, entrando eles na nuvem, temeram.*
>
> Lucas 9:28-34

Aí está aquela nuvem novamente. É quase como: "Oh... se eles acordarem, verão a 'glória'. Rápido, sombra, cubra-nos".

Você percebeu que foi somente depois que os discípulos adormeceram que Deus revelou a glória de Deus em Jesus Cristo? Hoje nos referimos àquela montanha como "o monte da transfiguração" porque a Bíblia diz que as vestes do Senhor se tornaram "brancas e resplandecentes". O termo grego original para resplandecente, *exastrapto*, significa "brilhar como relâmpago, cintilar, ser radiante". Enquanto os discípulos dormiam, Jesus Cristo estava sozinho e a Sua glória estava sendo revelada, banhando a terra com a luz da eterna glória de Deus, em vestes semelhantes ao relâmpago!

Chegou a Hora de Você Me Ver

Naquele instante, foi como se Deus dissesse: "Miguel, Gabriel [os dois arcanjos], *vão buscar* Moisés. Chegou a hora dele ver a Minha glória". Nos salões do Céu eles limparam a poeira da escada de Jacó e a estenderam até a terra, e Moisés desceu até um lugar onde ele nunca havia estado antes – a terra prometida. Em sua vida natural, Moisés foi condenado a apenas olhar para a terra prometida do avivamento sem jamais poder entrar dela. Ele havia orado pedindo para ver a glória de Deus, mas não pôde vê-la até *estar morto*. Nesse dia, 1.500 anos após a sua morte, depois que sua inesquecível oração ecoou nos ouvidos de Deus incessantemente dia após dia, Moisés, "o morto ambulante", viu a glória de Deus revelada.

Você precisa entender que mesmo depois que morrer, as suas orações continuam vivas. Por 1.500 anos a oração de Moisés continuou dizendo: "Mostra-me a Tua glória. Mostra-me a Tua glória. Mostra-me a Tua glória!", até que aguçou a consciência do próprio Deus. Ele teve de marcar um compromisso divino e definir um dia em que a eternidade cruzaria as esferas limitadas do tempo e do espaço; "Moisés, *agora que você está morto*, acho que terei de responder àquela oração!"

É por isso que fico entusiasmado quando leio sobre as orações fiéis e perseverantes daqueles que se foram antes de nós. Meu espírito se agita quando vejo os santos dos nossos dias unirem suas orações fervorosas às de Aimee Semple McPherson e William Seymour, que frequentemente debruçavam a cabeça sobre os caixotes de maçã na Rua Azusa, orando para que a glória de Deus descesse.

Quando a medida total das orações recolhidas do povo de Deus finalmente atingir um eco crescente nos ouvidos de Deus, então Ele não conseguirá mais esperar. Ele não pode ignorar as orações dos quebrantados e contritos que buscam a Sua face. Finalmente virá o dia em que Deus dirá do Seu trono nas alturas: *"Chegou a hora"*.

Foi isso que aconteceu na Argentina quando o Dr. Edward Miller e seus 50 alunos começaram a cercar o trono com orações de intercessão fervorosa. Como observamos anteriormente, a Argentina era um deserto espiritual nos anos cinquenta. O Dr. Miller disse que só conhecia 600 crentes cheios do Espírito em toda a nação naquela época, mas alguns alunos em um pequeno Seminário Bíblico começaram a interceder. Eles começaram a chorar com uma compaixão sobrenatural, nascida do Espírito, por uma nação que sequer sabia que eles existiam. Deus trovejou a resposta sobre a Argentina. O mesmo está acontecendo em lugares ao redor do globo onde o avivamento está irrompendo como um fogo inextinguível. Estamos cansados de

Em Busca do Amado da Sua Alma

fazer as coisas do jeito do homem. Queremos que o "Pai" apareça, mesmo se tivermos de morrer em quebrantamento e arrependimento para ver isto acontecer.

Moisés orou: "Mostra-me a Tua glória", e somente após 1.500 essa oração foi respondida. Ali estavam três discípulos sonolentos que se beneficiaram da oração inesquecível de Moisés, mas eles caíram na mesma armadilha que ameaça a Igreja sonolenta de hoje. Moisés subiu naquela montanha e viu a glória de Deus revelada. Quando ele estava partindo, os discípulos finalmente despertaram – bem quando tudo estava se dissipando e Jesus estava dizendo até logo. Mas os três homens ficaram tão impressionados com o breve brilho daquela glória que se desvanecia que quiseram construir três tendas e permanecer ali! Mas Deus Pai interveio do Céu e disse: "Não, isto ainda não é tudo. Vocês ainda não viram nada" (ver Lc 9:34-35).

Às Vezes Podemos Parar Repentinamente

Nós nos empolgamos facilmente com as revelações momentâneas de Deus, mas Ele quer que avancemos para buscar as Suas coisas secretas. Ele ama honrar as orações de seguidores perseverantes como Moisés, mas Ele realmente interromperá as nossas tentativas de construir tendas para revelações parciais e incompletas da Sua glória – principalmente aquelas pelas quais nunca pagamos com as nossas orações e com a nossa morte no altar do quebrantamento. Gostamos que as coisas venham rápido, fácil e que sejam baratas. Deus sabe que essas coisas nunca produzem o caráter de Deus em nós. Ele diz:

> *... Se alguém quiser vir após Mim, renuncie-se a si mesmo, tome sobre si a sua cruz, e siga-me; porque aquele que quiser salvar a sua vida, perdê-la-á, e quem perder a sua vida por amor de Mim, achá-la-á. Pois que aproveita ao homem ganhar o mundo inteiro, se perder a sua alma? Ou que dará o homem em recompensa da sua alma?*
>
> Mateus 16:24-26

Tentei explicar o inexplicável, mas tudo que sei é: "*Quanto mais morro, mais próximo Deus fica*". Não sei quanto de Deus você conhece ou tem, mas Ele revelará *mais* de Si mesmo se você estiver disposto a morrer para si mesmo. O apóstolo Paulo disse que conhecia um homem (ele próprio) que foi elevado ao terceiro céu em 2 Coríntios 12:2. Este apóstolo não conhecia meramente coisas "sobre" Deus; ele *conhecia Deus*. Como ele ganhou esse conhecimento íntimo? Ele disse: "Cada dia morro" (ver 1 Coríntios 15:31).

Muitos santos modernos passam muito tempo procurando atalhos para a glória de Deus. Queremos o benefício sem a dor. Queremos avivamento em nossas cidades, mas não queremos ouvir ninguém nos dizer que o avivamento só vem quando as pessoas estão famintas, quando os "intercessores vicários" se arrependem de pecados que nunca cometeram por amor a pessoas que nunca viram. Paulo disse: "Porque eu mesmo poderia desejar ser anátema de Cristo, por amor de meus irmãos, que são meus parentes segundo a carne" (Rm 9:3).

Você está lendo este livro por causa de um propósito divino. De algum modo, em algum lugar, uma oração inesquecível está sendo respondida hoje. Mas é possível que você esteja evitando a morte e esteja fugindo do altar do sacrifício que Deus colocou diante de você (Não se preocupe, isto acontece com *todos* nós). A maior bênção não vem da mão de Deus; ela vem da Sua face em um relacionamento íntimo. Você encontra a verdadeira fonte de todo poder quando finalmente O vê e O *conhece* em Sua glória.

Quanto Mais Você Morrer, Mais Ele Pode Se Aproximar

Quero contar que há boas novas além do altar de morte e quebrantamento. Enquanto toda carne morre na Sua glória, tudo que é do Espírito vive para sempre na Sua glória. Aquela parte do seu ser que realmente quer viver pode viver para sempre, mas alguma coisa com relação à sua carne tem de morrer. Deixe-me explicar desta forma: *A sua carne detém a glória de Deus*. O Deus de Moisés está disposto a Se revelar a você hoje, mas não será uma bênção "barata". Você vai ter de se deitar e morrer, e *quanto mais você morrer, mais Ele pode se aproximar*.

Você precisa esquecer as opiniões e expectativas dos que estão à sua volta. Você precisa deixar de lado cada ideia sobre o que pode ser o "protocolo religioso normal". Deus só tem um protocolo para a carne: *morte*. Deus está pronto para redefinir a Igreja. Ele está envian-

Em Busca do Amado da Sua Alma

do o Seu fogo para queimar tudo que não provém Dele, então você não tem nada a perder... a não ser a sua carne. Deus não está procurando pessoas religiosas; Ele está procurando pessoas que ardem em busca do Seu coração. Ele quer pessoas que O querem, que querem o Abençoador mais do que as bênçãos.

Podemos buscar a Sua bênção e brincar com os Seus brinquedos, ou podemos dizer: "Não, Pai, não queremos apenas as bênçãos; queremos a Ti. Queremos que chegues mais perto. Toca nossos olhos. Toca nossos corações e nossos ouvidos. Transforma-nos, Senhor. Estamos cansados da maneira como somos. Entendemos que se pudermos mudar, então a nossa cidade e a nossa nação podem mudar".

Você Vai Deixar Que Ele Se Aproxime?

Creio que esta geração está muito próxima do avivamento, mas não quero simplesmente olhar enquanto Deus passa pela rua para ir a algum lugar onde as pessoas realmente O desejam. "Vai acontecer *em algum lugar*, mas se não for conosco, *com quem* será, Senhor? Não estamos satisfeitos com os Teus dons, por mais maravilhosos que sejam. Queremos a Ti". A chave para o avivamento ainda é a mesma:

> *Se o Meu povo, que se chama pelo Meu nome, se humilhar [morrer no altar do arrependimento], e orar, e buscar a Minha face [em vez de apenas o avivamento ou visitações momentâneas], e se converter dos seus maus caminhos; então Eu ouvirei do Céu, perdoarei os seus pecados, e sararei a sua terra*
>
> 2 Crônicas 7:14

"Pai, buscamos a Tua face".

Transformada por Deus, é altamente provável que a Igreja que irá emergir da nuvem da Sua glória será muito diferente do que você e eu achamos que deveria ser. Isto acontecerá porque Deus está recuperando a posse da Igreja e atraindo-a para perto de Si.

Ousaremos nos aproximar da Sua glória? Deus realmente queria que os filhos de Israel subissem e recebessem os Dez Mandamentos diretamente Dele juntamente com Moisés. Mas eles fugiram da presença de Deus. A Igreja está correndo o risco de fazer o mesmo hoje. Podemos correr o risco de que alguma coisa morra em nós à medida que ousarmos nos aproximar da Sua glória, ou podemos nos voltar e correr de volta para as nossas tradições humanas e para a segurança do legalismo religioso e dos cultos conduzidos por homens. *A amizade com os homens é boa. A amizade com o Espírito é fogo!*

Vamos criar uma zona de conforto para Deus e uma zona de desconforto para o homem através do culto de arrependimento. As nossas igrejas suntuosas e com bancos acolchoados são confortáveis para o homem, mas desconfortáveis para Deus pois Ele deseja "matar" carne.

Os israelitas literalmente se isolaram e se protegeram da presença íntima de Deus por causa do seu medo da morte. Moisés, por outro lado, aproximou-se das densas trevas que ocultavam a glória de Deus. É hora da Igreja verdadeiramente abraçar a cruz de Jesus. A nossa fome deve nos impulsionar para além da morte da carne, para dentro da vida e da luz da glória de Deus. Este é o destino da Igreja do Deus vivo. Mas isto só acontecerá quando abandonarmos a segurança da "lei da nova aliança" da prática religiosa e das visitações "sobrenaturais" controladas cuidadosamente, e abraçamos a aparente incerteza e risco de viver face a face com o nosso Deus sobrenatural.

Deus não quer que nos afastemos da Sua glória para construir tendas de uma revelação momentânea pela qual nunca pagamos com nossas lágrimas. *A salvação é um dom gratuito, mas a glória de Deus nos custará tudo.* Ele quer que sigamos em frente e vivamos na Sua perpétua habitação de glória. Ele quer que fiquemos tão cheios da Sua presença e glória que levaremos a Sua presença conosco para todos os lugares. Esta pode ser a única maneira de fazer a glória de Deus alcançar os shoppings, salões de beleza e supermercados da nossa nação.

É assim que a glória de Deus cobrirá toda a terra, mas precisa começar em algum lugar. As fontes da carne precisam ser aniquiladas e as janelas do Céu precisam ser abertas, para que a glória comece a fluir como um rio e cubra a terra. Jesus disse: "Do seu interior fluirão rios de águas vivas" (Jo 7:38b). Precisamos estar totalmente entregues a Ele para que a Sua glória nos cubra.

A diferença entre a unção e a glória é a diferença entre as mãos de Deus e a Sua face, e o caminho para a glória de Deus nos leva direto ao altar onde devemos entregar tudo e morrer. No final, nos encontraremos face a face com Deus como uma nação de

Em Busca do Amado da Sua Alma

"mortos ambulantes", cheios da Sua glória. Nada mais é necessário; nada mais é preciso. Quando os filhos de Deus deixarem os seus brinquedos de lado e engatinharem para o colo do Pai para buscar a Sua face, a Casa do Pão transbordará outra vez com pão fresco e com todos os dons maravilhosos. *Os famintos encontrarão a eterna satisfação pela qual sempre ansiaram.*

Ele não nos decepcionará. Deus Se deixará capturar por nós. Como um pai amoroso que brinca de pegar com seu filho e se deixa ser apanhado entre risos, assim também o Pai celestial Se permite ser capturado. Quando você começar a ficar cansado e entrar em desespero, Ele se voltará e pegará você. Ele quer ser "alcançado" pelo nosso amor. Ele espera ansiosamente por esse encontro amoroso e cheio de alegria. Ele tem sentido falta desses momentos com o homem desde o Jardim. Intuitivamente, os caçadores de Deus sabem disso. *Eles estão dispostos a correr atrás do inatingível, sabendo que o "impossível" os alcançará.* Um famoso caçador de Deus escreveu:

> *Mas prossigo para alcançar aquilo para o que fui também preso por Cristo Jesus.*
>
> Filipenses 3:12b

Paulo O alcançou! E você também pode alcançá-lo! Venha se juntar aos caçadores de Deus!

A "caçada" começou...